La balsa de la Medusa

La imaginación

Traducción de
Francisco Campillo García

histérico y prácticamente inservible. No quiere enseñar, sino alardear de su desenfrenada erudición.

Aun siendo una disciplina relativamente reciente, la estética hunde sus raíces en los orígenes de la cultura occidental. A la cultura griega debe su originario significado etimológico: *aisthesis*, sensación. Como todas las disciplinas, tiene un lenguaje con significación específica, aunque aparentemente no sea así. Esa supuesta no especificidad de su lenguaje pone al lector «ingenuo» en peligro de ser arrastrado a terrenos pantanosos, muy alejados del camino real.

La colección *Léxico de estética*, dirigida por Remo Bodei, se compone de una serie de volúmenes, no muy extensos, escritos con lucidez y rigor, dirigidos a un público culto aunque no especializado. Los distintos textos, que tienen su propia fisonomía autónoma, por lo que se pueden considerar como monografías independientes, proponen la reconstrucción por sectores del mapa de ese vasto territorio que ha recibido el nombre de «estética».

La colección se articula en tres secciones: *Palabras clave*, *El sistema de las artes* y *Momentos de la historia de la estética*. La primera aborda, desde una perspectiva teórica e histórica, los conceptos fundamentales que utilizamos para comprender los fenómenos estéticos o para valorar obras de arte, productos manufacturados o de la naturaleza (lo bello, el gusto, lo trágico, lo sublime, por ejemplo). La segunda está dedicada a la estética aplicada a los campos considerados más importantes, como la pintura, la arquitectura, el cine y los objetos de la vida cotidiana. Finalmente la tercera examina la disciplina en su desarrollo histórico, sobre la base de los distintos planteamientos teóricos específicos y de las prácticas artísticas concretas, desde el mundo antiguo hasta la Época Contemporánea.

Fruto del trabajo de los principales especialistas en la materia, italianos y de otros países, todos los volúmenes, aun en la especificidad y diversidad de cada sección, autor y asunto de cada uno de ellos, tienen en común la amplitud de perspectiva y el lenguaje sencillo, una bibliografía comentada que orienta hacia otras lecturas más concretas y especializadas y, finalmente, sus dimensiones contenidas, aun cuando se ocupen de asuntos vastos y complejos.

La colección se constituye de la siguiente forma:

PRIMERA SECCIÓN: PALABRAS CLAVE

- La forma de lo bello
- Lo sublime
- Lo fantástico
- Lo cómico
- Trágico/tragedia
- El gusto
- El genio
- La imaginación

SEGUNDA SECCIÓN: EL SISTEMA DE LAS ARTES

- Estética de la pintura
- Estética de la arquitectura
- Estética de la literatura
- Estética de la música
- Estética del cine
- Estética de los objetos y de lo cotidiano
- La estética, las artes y las técnicas

TERCERA SECCIÓN: MOMENTOS DE LA HISTORIA DE LA ESTÉTICA

- Estética clásica
- Estética medieval
- Estética del Renacimiento
- Estética barroca
- Estética del siglo XVIII
- Estética romántica
- Estética del siglo XIX
- Estética del siglo XX

Maurizio Ferraris

La imaginación

La balsa de la Medusa
Visor

La balsa de la Medusa, 95

Colección dirigida por
Valeriano Bozal

Léxico de estética

Serie dirigida por Remo Bodei

Tomás Bretón, 55, 28045 Madrid
ISBN: 84-7774-595-1
Depósito legal: M-11.191-1999

Visor Fotocomposición
Impreso en España - *Printed in Spain*
Gráficas Rógar, S.A.
Navalcarnero (Madrid)

Índice

Introducción

Imaginación y fantasía

Alguien puede cuestionarse por qué es sólo en una discusión filosófica o filológica donde se toma en consideración que, entre *subiectum* e *hypoikomenon*, o entre *essentia* y *ousìa,* la traducción sea imperfecta y las nociones no se solapen la una a la otra sin residuos, mientras que, por otro lado, en el lenguaje ordinario se distingue la imaginación de la fantasía.

En el léxico de las lenguas neolatinas subsiste, ciertamente, una relativa concordia: imaginación es la retención de lo ausente, la fantasía es su reelaboración. Como quiera que la reelaboración es más tendente a la falibilidad que la retención, la fantasía se inclina hacia lo irreal más que la imaginación. Sin embargo, no hay mejor modo de rehusar la importancia de un testigo que replicarle que nos está presentando, simplemente, el fruto de su imaginación: así, la pretendida concordia léxica anteriormente referida se ve rechazada. El hecho evidente es que la distinción es relativamente constante, pero no es coherente, lo cual constituye un problema algo más que lexicográfico.

Strawson (1995) asigna a la imaginación tres áreas semánticas fundamentales: 1) la imagen mental (y *quizá* también acústica); 2) la imaginación como invención; 3) la imaginación como creencia o ilusión. Lo hace sirviéndose del inglés contemporáneo, pero la definición corresponde a la de la *phantasia* en Platón, que tiene el valor tanto de representación verídica como de apariencia ilusoria. El verbo *phantazesthai* (aparecer), y los sustantivos *phantasis*, «visión», y *phantasma*, no están en primer lugar conectados con el engaño, sino que son la condición de la verdad y el error, ya que *phantasma* no es propiamente «imagen», sino «lo que aparece», lo cual lleva consigo la legitimidad de traducirlo como «presentación» antes que como «representación», tanto más cuando, hasta la época helenística no se atestiguan formas activas de *phantazesthai*, sino sólo formas medias o pasivas (a esto hay que añadir que el verbo designa, primariamente, no tanto el acto de presentarnos intencionalmente una imagen, sino más bien la aparición que nos visita en el sueño o en la vigilia). La especificación por la que la presentación se convierte en representación es más bien una consecuencia, y no una premisa, del estatuto de la apariencia.

Se trata de una matización necesaria. ¿Qué es, de hecho, la verdadera presencia? Es precipitado responder que su lugar es la visión, porque la visión puede ser efímera, cuando no un sueño o una ilusión. La lengua sedimenta esta perplejidad: en griego, *eidon* es un aoristo usado como sustituto de *horao*, veo (y tiene la misma raíz que el latín *video*); su pasado (*oida*), y no su presente, quiere decir «saber» (he visto, por tanto sé). Sé algo con certeza en el momento que veo, y veo para siempre, con los ojos del espíritu, el cual asegura a la imagen una permanencia no efímera; pero este mantenimiento es condición tanto de la verdad como del engaño. El *eidos* idealizado puede ser una alucinación; sobre todo, puede ser un mero fantasma inútil, debido a los mismos motivos por los cuales es un útil fantasma verdadero, por ejemplo, y fundamentalmente, cuando retiene la imagen de una percepción que ya no está presente. Así –precisamente porque el ver, aunque instantáneo, supone la retención de los momentos precedentes y se orienta hacia la idealización como hacia la propia verdad– una cierta ficción, junto a una cierta retención y un cierto recuerdo, funcionan *ya* en la visión, en la que la espera y el recuerdo resuenan en el presente, y también lo confunden.

Es también esa la razón que hizo que Moctezuma acogiera a Cortés con los brazos abiertos, siguiendo la lógica que se repite regularmente en el mesianismo. Por tanto –y las ilusiones ópticas pueden constituirse en una suerte de espía de lo que acontece regularmente en la visión–, ver, recordar y fingir son lo mismo. No estamos aquí, con toda seguridad, ante una adquisición de la que, con la típica buena fe moderna, se ha llamado la época de la realidad virtual. Ya lo fue la conmovedora imagen de *La Eneida* que Juan de Salisbury comenta en el *Metalogicon*: cuando Andromaca ve a Ascanio, se imagina como habría sido Astiacnate en el caso de que el destino le hubiera concedido llegar a la edad del primero. El engaño propio del testimonio ocular, la subjetividad de los puntos de vista, el hecho –tan bien analizado por Stendhal o por Tolstoi– por el que los contendientes en una batalla comienzan a deformar (siempre de buena fe, y desde el primer momento en que lo narran) lo que han visto, se derivan de esta circunstancia.

Por tanto, no es por simple variación léxica que la *phantasia* griega haya sido traducida al latín de tres modos. Siguiendo un orden cronológico, el primero, testimoniado en Cicerón, Aulo Gellio o Quintiliano, pero todavía en el siglo V en Agustín, Celio Aureliano o Boecio, es *visio*. *Imaginatio* es una voz más tardía, aunque aparece ya censada en Plinio el Viejo. Los dos términos pueden ser considerados en principio como equivalentes, mientras la acepción de la imaginación como ilusión predomina en la transliteración, postclásica, del griego *phantasia*, testimoniada en la *Cena Trimalchionis*, y en la *Institutio Oratoria* de Quintiliano, donde, por ejemplo, las obras de Teón de Samos son definidas como «fantasía» entendiéndose con ello «extravagancia». Sucede por esto que, al menos como tendencia, en el Medievo se ve marcada en *phantasia* cierta tonalidad quimérica, en contra del valor realista de *imaginatio*. No obstante, una señal escéptica se encuentra ya presente en la *phantasia* griega de la época de Herodoto; así como, en tiempos de Aristóteles, tal palabra podía significar también ostentación. No es por tanto sorprendente que, en la Patrística, se nos plantee el problema de saber si Cristo se ha presentado como un verdadero hombre o sólo como una *phantasia;* del mismo modo, tampoco nos sorprende que en la retórica antigua el sintagma *phantasia poetica* pueda tener un valor positivo, y que de tal modo aparezca atestiguado en varias ocasiones más en la baja latinidad.

La pareja fantasía-imaginación se encuentra, por tanto, en este acontecer de traducciones problemáticas. Desde el punto de vista funcional, en un sentido genérico puede decirse que *phantasia* equivale a *imaginatio* (el primer término es sólo la transliteración del griego, el segundo se establece después de la versión más antigua *visio*). En un sentido específico, *imaginatio* es la facultad que retiene las formas recogidas por el *sensus comunis* (la *koiné aisthesis* de Aristóteles: el sentido interno que coordina los datos provenientes de los sentidos externos, por ejemplo el color o el sabor de un percepto); *phantasia* es, en cambio, la facultad que asocia de nuevo los fantasmas retenidos por la *imaginatio*. En otras palabras: si por un lado *imaginatio* se diluye en la percepción (*visio*) y en la memoria (que se distingue de ella por el carácter voluntario), por otro *phantasia* parece absorber, en forma degradada, las mismas funciones de composición y descomposición que pertenecen al concepto. La *imaginatio* proporciona el hombre y el caballo, la *phantasia* compone el centauro. Pero esta recomposición resultará cargada de valor suprasensible si, con el Hegel de la *Fenomenología del Espíritu*, asumimos que la actividad del separar constituye en la máxima potencia del intelecto. Por esto la *phantasia* puede equivocarse más que la *imaginatio*, aunque también ésta última esté sometida a las falacias de los sentidos: con la *imaginatio* puedo tomar a un espantapájaros por un hombre; con la *phantasia* podría construir un delirio, y también podría caer víctima de *phantasiae diabolicae*, aquellas que obsesionaron a El Bosco y al San Antonio de Flaubert.

La regla anterior hace agua, no obstante, por más partes. Fantasma es la quimera amorosa en la poesía trovadoresca, pero *pantais* es en provenzal la turbación de la pesadilla, que acusa una génesis somática; y en celta encontramos *faoin*, debilidad, y *fanntais*, languidez; sin embargo, también en el celta, *faoineas* indica tanto la astenia física como la vanidad espiritual, y el portugués *pantear* (como el véneto *pantezar*) significa contar historias amenas –es decir, cosas que no están ni en el cielo ni en la tierra–. Pero se comprueba, por el contrario, que en la primera aparición de una imaginación productiva testimoniada por el *Oxford English Dictionary* (un verso de Stephen Hawes sobre Chaucer) se habla de *ymaginacyon*. ¿Es esto un signo de que la regla está invertida, y de que la fantasía se refiere a la retención y la imaginación a la producción? No lo parece, y no sólo por lo que se ha dicho en relación al latín, sino también porque, en el poema a la muerte de la duquesa de Lancaster, Chaucer usa *ymaginacioun* y *fantasies* a grosso modo como equivalentes, y en el *Sueño de una noche de verano* de Shakespeare, imaginación y fantasía se igualan en la común irrealidad; tanto que, precisamente en este contexto, se sitúa el famoso pasaje según el cual la pluma del poeta da forma a las imaginaciones, dándoles un lugar y un nombre.

Un cierto principio de clasificación se puede quizá obtener de la circunstancia por la que, desde Dryden en adelante, *fancy* (contracción de *phantasy*) es la invención de cosas ligeras, mientras *imagination* se refiere a la creatividad profunda, según una jerarquía invertida sustancialmente por Coleridge, pero que está vigente, por ejemplo, en el uso contemporáneo inglés, que con *Fantasy* designa una especie de utópica ciencia-ficción. Es probable que, como sucede frecuentemente en el lenguaje, aquello que cuente sea el valor diferencial, y no aquello que puede ser positivamente indicado por la diferencia. Ello puede verse reflejado en la tardía acuñación del alemán *Einbildungskraft*, con el que Paracelso traduce *imaginatio* para designar aquello que, junto al intelecto, compone el cuerpo invisible, es decir el alma. Por tanto, *imaginatio* podría ser precisamente la creatividad profunda, visto que, por su parte, el diccionario alquímico de Martin Ruland (1612) define la *imaginatio* como «astrum in homine», y que con la misma densidad de valor poiético y poético que *Einbildungskraft*, el término aparecerá en Böhme, Comenius, Harsdöffer, hasta Baader e incluso más adelante. Pero, aún en el diccionario de los hermanos Grimm, *Einbildungskraft* aparece como reproductora, reteniendo para sí, por tanto, los caracteres de la *imaginatio* latina, mientras *Phantasiae* indica, más bien, tanto la fantasía poética como (al modo del Kant de la *Antropología*, pero de manera no siempre coherente) la ilusión involuntaria, por ejemplo la infantil. Un caso análogo existe en el holandés, donde *verbeeldinge* equivale a *Einbildungskraft* y se traduce como *imaginatio* (o su forma holandesa *imanginacie*), mientras ya desde el holandés medio y aún en la lengua actual indica más bien la quimera.

Sería demasiado exigir de la filosofía una coherencia mayor de aquella que el hablar común exhibe. En el comentario a la *Isagoge* de Porfirio, Boecio ilustra la *phantasia* sirviéndose de un verso de Horacio –«Humano capiti cervicem pictor equinam / iungere si velit»–, pero la traduce con el término *visus*, o sea, con el equivalente más próximo de *imaginatio*. Cuatro siglos más tarde, Escoto Eriugena, en el *Comentario a la jerarquía celeste*, da a *imaginatio* una connotación positiva, mientras *phantasia*, de más rara frecuencia, presenta un matiz negativo. Pero en el *Periphyseon* se produce una inversión completa, y *phantasia* es primeramente la imagen de las cosas sensibles, y después, en una jerarquía ascendente, el icono de aquellas que son reflejo de la verdad celeste, asimilándose así a las teofanías neoplatónicas, al tiempo que se asume que los espíritus malignos no producen *phantasiae*, sino *umbrae*. Podría suponerse que la adopción de un léxico helenizante llevara a la normalización del término, pero en muchos autores medievales permanece la elección contraria, y *phantasia* asume un valor también negativo, de *vana phantasia*, por ejemplo como sueño (*phantasia somnialis*) o, más exactamente, como fantasía diabólica, –caso en el que las imaginaciones aflorarían sobre todo de la carne.

El caso de las traducciones latinas de Aristóteles da testimonio de una situación confusa. En la primera versión de *Acerca del alma,* de Giacomo Veneto que se remonta a la mitad del siglo XII –y que, revisada por Guillermo de Moerbecke, se constituye en un punto de referencia hasta el siglo XIV, influenciando, por tanto, los comentarios de Alberto Magno y de Tomás de Aquino– se hace prevalecer una simple transliteración, por la cual *phantasia* se convierte en *fantasía*, pero, con menos frecuencia, aparece también *imaginatio*. Sin embargo, un sabio bizantino como Argiropulo, en su versión latina de *Acerca del alma* (usada en las clases del «studio» florentino en torno a 1460, y revisada alrededor de 1485) no adoptará la transliteración *phantasia* y, a pesar de su aversión por los bárbaros, elegirá *imaginatio,* poniéndola en endiadis con *phantasia* sólo en rarísimos casos. ¿Debemos concluir de ello que la *phantasia* griega (como facultad reproductora) viene ahora convertida en *imaginatio*, ya que la *phantasia* latina indicaría, aunque de manera equívoca en el contexto aristotélico, una capacidad reasociativa e inventiva?

No es cierto. En el léxico filosófico de Rodolfo Goclenio vuelve a aparecer la hipótesis de la traducción simple, o sea de la plena equivalencia entre el término griego y el latino: la *imaginatio* falta en la parte latina (1613), mientras en la griega (1615) bajo el nombre de *phantasia* se encuentra tanto la imaginación en su sentido de retención simple, como la fantasía con el sentido de elaboración compleja. Inversamente, en el *Lexicon philosophicum* de Johannes Micraelius (1653 y 1662), esta misma valencia gnoseológica y ontológica se tematiza en la voz *Imaginatio*. En el siglo XVIII, en el contexto de una cultura común y alrededor de los mismos años, *imaginatio* es para el Wolff de la *Psychologia empirica* esa misma potencia reasociativa que para el Baumgarten de la *Metafísica* es la *phantasia*. Estas inversiones no dejarán de repetirse, y sólo se calmarán debido a la salida de escena de uno de los dos contendientes, la fantasía, que entre mil ochocientos y mil novecientos, es relegada sin salvación al ámbito de lo puramente irreal. No por esto triunfará la imaginación, y la prueba está en que sus últimas resurrecciones filosóficas serán sofocadas por el lema «la imaginación al poder», el cual habrá de dar inicio, la mayor parte de las veces, al más perfecto realismo político.

Veremos como el árabe y el hebreo reflejan esta misma herencia griega. Como paradigma exótico, que señala una dificultad de traducción generalizable a causa de contextos análogos, puede valer el tópico ejemplo que nos ofrece el japonés. En el habla actual tenemos (como equivalentes parciales de «fantasía», y al margen del préstamo *fantasy*): *kûsô*, «imaginar aquello que no existe en realidad», *gensô*, pensar aquello que no existe en realidad, *maboroshi*, «ver aquello que no existe en realidad». Para *imagination*, tenemos *sôzô*, que viene del chino clásico, y fue usado a finales del siglo XIX en la traducción de la *Mental Philosophy* de Joseph Haven; pero el mismo término llega a designar bien «pensamiento», bien «imaginación», o bien «fantasía». Así también le sucede a *omo-u*, que se traduce como «pensar», pero como un pensamiento poético que se pierde en la naturaleza, y cuyo posible equivalente sería el ofrecido por un pasaje de Baudelaire: frente al mar todas las cosas piensan «mais musicalement et pittoresquement, sans arguties, sans syllogismes, sans déductions». No hay que sorprenderse por la dificultad en la traducción. Una semántica de la imaginación, como se ha visto, está conectada estrechamente con una doctrina de la verdad, o sea, con lo que se entiende por verdadero según la herencia de los griegos, de los romanos, de los semitas, y que no es sólo esta o aquella verdad, ni sólo este o aquel concepto de verdad, sino la noción misma de verdad por contraposición a la ficción. Una ficción de la cual, por otra parte, la imaginación no es el único estandarte, si se considera, con Pascal, que esta maestra de errores y de falsedad resultará tanto más astuta cuanto menos lo sea normalmente –o sea, en tanto pueda también designar lo verdadero.

Estética y lógica

¿Ese «verdadero» (así como su contrario) se refiere a los sentidos o al intelecto? Rosemary, al comienzo de *Suave es la noche*, ve unas imágenes en la playa, casi cegadas por el sol: un hombre se sirve algo de beber, ese hombre morirá en una reyerta en Nueva York. Esos mismos signos premonitorios, claros pero no analizados, atravesarán toda la novela, y la inquietud que la rodea –el abismo, debería decirse– consiste en que en todo signo sensible se anuncia un destino, la «huella» de un futuro. En lo que se refiere a la percepción, puedo ver desde lejos algo blanco, después reconocerlo de cerca como Callia. El claro blanco de la primera percepción no es desmentido por el distinto de la segunda. ¿Pero no es ésta la misma historia que tiene lugar en el paso de la imagen al concepto? En vez de hacer de la imaginación un domino contrapuesto a la verdad, o a una verdad ulterior y mística, deberíamos tratar de seguir esa fecunda indicación de la estética en el sentido de Baumgarten, como ciencia de la cognición sensible de imágenes claras y no por ello distintas. Lo cual no valdría solamente para la literatura, sino para la percepción y, en definitiva, para todo tipo de actividad, sensible e inteligible, si es que es cierto que la primera imagen que tenemos de un triángulo es no menos clara e indistinta de la que Rosemary tuvo en el litoral francés. ¿Quiere decirse con esto que la imagen es sólo el primer paso del conocimiento? Si así lo fuese, no habría nada malo en ello. El hecho es, sin embargo, que una imagen es siempre más que una imagen, es siempre refiguración de cualquier cosa y huella de otra, de manera que la distinción, ulterior respecto a la claridad, será entonces, en caso de que venga (puesto que el saber absoluto queda como hipótesis de trabajo) un éxito de la imaginación y de sus frutos.

La estética se encontrará ya siempre en la lógica, y la lógica en la estética. El modo en que este problema se presenta usualmente, con frecuencia en el marco de una literatura fantástica, es la discusión en torno al valor de la metáfora en la filosofía. Se trata, como veremos, de una petición de principio, porque asume como fundada y argumentable precisamente la diferencia entre imagen y concepto, diferencia que unos gramos de análisis demuestran que resulta difícil de encontrar. Decir que las metáforas se introducen en el discurso filosófico es, de hecho, sostener que existe un grado cero del pensamiento, un signo desguarnecido e invisible, al que puede elegirse colorear, del mismo modo que para Kant la forma de una flor gusta al intelecto, mientras su color y olor halagan los sentidos. Pero precisamente éste es el problema: el de establecer la diferencia entre sensible e inteligible, entre lo que es sólo vehículo, depósito o soporte de un argumento intelectual, y aquello que es su sustancia.

No es casual que la distinción entre materia y forma sea, al mismo tiempo, tan antigua y tan problemática.

Para demostrar la imposibilidad del olvido voluntario, se suele contar la anécdota del alquimista que promete transformar el barro en oro, pero con la condición de que ninguno de los presentes piense en un elefante rosa. Obviamente, la metamorfosis no tendrá éxito. Esta imposibilidad, real porque trae a la mente el recuerdo precisamente de aquello que se debe olvidar, no es sino una modificación de la imposibilidad más general de un pensamiento sin imágenes. Los prisioneros de la caverna platónica, que ven pasar frente a ellos las sombras proyectadas sobre el fondo, «resultan ser iguales a nosotros». Es Sócrates quien lo dice, introduciendo en la *República* la historia de la ascensión del filósofo que, cuando sale de la caverna, no encuentra por ello un mundo finalmente sin imágenes, definitivamente anclado a la verdad, sino que todavía se encuentra ante las formas, con el *eidos* de las ideas y con el sol como su posibilidad. La crítica de las ideas en Aristóteles no dañará esta fundamental determinación visual del pensamiento, desde el momento en que lo universal es pensado en lo particular; por tanto, las propiedades de un triángulo en general se recaban siempre a partir de una figura determinada, de modo que pensar es como dibujar, y el pensamiento no prescinde jamás de los *phantasmata*.

Esto no comporta que lo pensable y lo visible se identifiquen sin residuos. De hecho nosotros sabemos –o al menos creemos saber– cuándo estamos usando una imagen, lo cual significa que, por otra parte, asumimos la existencia, en nosotros y fuera de nosotros, de algo no icónico. Probarlo no es, en primera instancia, difícil. Por ejemplo, jamás hemos visto nuestra alma sino, si acaso, nuestro rostro en el espejo. Resultará por tanto caracterizador que, en francés, *psyché* sea el espejo ante el cual uno se afeita (se condensa así, en este sobrenombre, una antiquísima historia). En los

Memorables, Jenofonte retrata a Sócrates (para Hegel el equivalente histórico de Edipo) concentrado en discutir con un pintor sobre el modo de representar el *eidos* del alma, y de la conversación emerge la íntima problematicidad de una figuración semejante. El alma jamás piensa sin imágenes, pero es más problemático tener una imagen del alma; el ojo del espíritu reitera la dificultad del ojo sensible, que se ve a sí mismo sólo en el espejo. Sócrates no considera que el alma sea invisible en cuanto tal, desde el momento que podemos ver la *psiqué* de los demás hombres, y esta circunstancia se encuentra en la base del carácter fundamental de la experiencia política: del mismo modo que la ciudad no puede reflejarse a sí misma, y se conoce midiéndose con las demás *poleis*, así los hombres, en la ciudad, conocen su propia alma viendo a otros hombres (inversamente, Erwin Rohde, en *Psyché*, explica la leyenda homérica con la necesidad que tenían los griegos emigrados al Asia Menor de hacer manejables los restos de sus antepasados, reasumiéndolos en el canto). Esta concepción no es tan peregrina, y prevalece también en el lenguaje más usual: «A media noche en punto/alma mía te espero». La lengua de Metastasio, Da Ponte y Sterbini viene de Petrarca y, por ese camino, de un patrimonio que tiene sus raíces en el mundo clásico. Cuando otro alguien es un ídolo o un alma está ya siempre en funcionamiento la proyección armónica por la cual, mediante la ilusión, me veo a mí mismo en el otro.

Sucede todo el día y todos los días, ya que, a propósito de cada una de nuestras acciones, pensamos en aquello que pueda perjudicar a eso que llamamos nuestra imagen pública, y que es en realidad nuestra imagen privada, la única que tenemos. No obstante, no parece del todo implausible la tesis opuesta, por la cual se puede perfectamente pensar sin imágenes. Son los argumentos de la *Logique* de Arnaud y Nicole (1662): nada es más evidente que el *cogito*, pero también nada es menos representable. Igualmente, puedo perfectamente concebir un kiliágono, esto es, un polígono de mi lados, o un miriágono, de diez mil, pero en lo tocante a representármelo, nunca llegaré más allá de una figura indistinta, ya que mnemónicamente me es ya difícil diferenciar un octágono de un decágono. De la misma manera, dos personas pueden representarse al mismo tiempo la tierra como aplastada y como redonda, sólo que uno dice que es plana y el otro que es redonda. El juicio no depende de la imagen, que no es sino su mero soporte material, una intuición que vale como una nota a pie de página de un discurso respecto al que es ilegal. Si en vez de ello pensáramos solamente con las imágenes, según una tesis que puede parecer estéticamente evidente, precisamente porque disfruta de la evidencia de lo intuitivo (¿hemos pensado alguna vez en la identidad o en la sustancia en sí, esto es, fuera de un caso determinado?), si entre lógica y estética no hubiera ninguna dicotomía, quien piensa la tierra redonda no podría pensarla plana (e inversamente), y quien no consigue representarse un kiloágono debería ser incapaz de concebir lo que es un polígono de mil lados.

Esta alternativa es el punto donde se ha agotado frecuentemente la reflexión (y debe tenerse presente el valor eidético de esta palabra) sobre la imagen, pero el verdadero problema, sobre todo en lo que se refiere a psicología, es otro. Una mañana, Françoise va a casa del Narrador de *En busca del tiempo perdido* y le dice: la señorita Albertine se ha marchado. El Narrador prueba a calmarse pensando en su imagen, pero se da cuenta de que no consigue hacerse figura mental perfecta de la mujer con la que ha vivido durante años. Después llama a Saint–Loup para que la busque, y tampoco consigue describirla. Esto nos sucede todos los días. Intentamos representarnos imágenes de lugares o personas. No lo conseguimos (es la frecuente no fiabilidad de los *indentikit* de la policía). Pero, por ejemplo, el Narrador no habría creído a nadie que hubiera pretendido simplemente ser Albertine y, cosa aún más impresionante, ¿qué hace que podamos reconocer, en la distancia de los años, la voz de una persona, quizá oída sólo una vez?, ¿qué sucede en nuestra mente cuando creemos que pensamos una imagen? E, inversamente, ¿de qué pozo –no icónico aunque todavía memorístico– vuelve a emerger la característica que nos permite reconocer una entonación ronca, con un cierto deje, o un peculiar acento? Además, ¿qué parte de la mente o del cuerpo hace de modo tal que, en el curso de los años, nuestra voz permanezca la misma, del mismo modo que normalmente inmutables se conservan los rasgos esenciales de una escritura?

Imagen y huella

Sería una verdadera ingenuidad pensar que una imagen representa sólo el objeto o la persona a la cual aparentemente se refiere. La mnemotécnica de Dumouchel, que Bouvard y Pécuchet se procuran en cierto momento de su aprendizaje enciclopédico, combina otras tres, de Allevy, de Pâris y de Feinagle. El primero transforma las cifras en figuras (1 es una torre, 2 un pájaro, 3 un camello, etc.); el segundo se sirve de acertijos (un sillón con tornillos* dará *Clou* e *vis*, de lo cual *Clovis*); el tercero divide el universo en casas, cuyas habitaciones tienen cada una cuatro paredes con nueve recuadros decorativos, cada uno de los cuales está presidido por un emblema. Así, Dumouchel sugiere (sistema Feinagle) colocar el primer rey de la primera dinastia francesa en el primer paño de la primera habitación; el emblema sobre la tela será (sistema Pâris) un faro

* N. del T.: En el original «una poltrona con chiodi a vite». La lexía «chiodo a vite» puede traducirse como tornillo, aunque al realizar la traducción se pierda el juego entre italiano y francés que permite explicar la operación mnemotécnica («chiodo a vite-clou vis- Clovis»).

sobre un monte, que dará «Phar a mond». No se necesitará nada más que añadir (sistema Allevy) un espejo (=4), un pájaro (=2) y un aro (=0), para acordarse de que el primero de los Merovingios, Faramondo, subió al trono en el 420. También ejemplificará Flaubert, para mayor claridad, como los dos bobos toman su casa como base mnemotécnica, de modo que las cercas en el campo señalan las épocas, los manzanos son los árboles genealógicos, los arbustos de boj las batallas, convirtiéndose así en símbolo todo lo existente.

Esta historia moderna repite el nacimiento mítico de la mnemotécnica. Parece, siguiendo la anécdota que encontramos en la versión que de ella ofrece Cicerón en *De oratore* –menos escéptica que la de Quintiliano– que en Crano, en Tesalia, Simónides de Ceo, invitado a cenar por un poderoso aristócrata, Escopas, habría cantado un poema en honor de éste último, añadiendo una digresión ornamental en alabanza de Cástor y Pólux. Seguramente la *ekphrasis* disgustó al destinatario y anfitrión, tanto que decidió pagar sólo la mitad de la suma convenida, animando a Simónides a que se hiciera pagar el remanente por los dos hijos de Tíndaro. A continuación, inesperadamente, sucede lo siguiente: Simónides es llamado fuera de la sala del banquete, con el pretexto de que dos jóvenes lo esperan en la puerta; cuando salió no encontró a nadie, pero durante su momentánea ausencia el techo de la habitación se había derrumbado, atrapando a Escopas y sus invitados. Los cuerpos eran irreconocibles; sin embargo Simónides consiguió identificarlos uniendo los nombres de los difuntos con los sitios ocupados en el banco. El descubrimiento de Simónides fue, por tanto, que la mejor ayuda para la memoria es el orden: quien quiera retener los recuerdos, debe *transformarlos* en imágenes y colocarlos en lugares mnemónicos; los lugares valen por el orden, las imágenes (*notae*) valen por las cosas que han de ser recordadas.

La *nota*, eso que hoy entendemos sobre todo como índice musical, o como la precisión a pie de página (cuando en sentido propio está su llamada en el texto), es un término subordinado a la distinción entre imagen y concepto: además de la anotación mnemotécnica o taquigráfica –justamente, las imágenes que Bouvard y Péuchet colocan en los *topoi mnemonikoi*, o las *notae tironiane*, la estenografía inventada por Cicerón– *nota* es, en las traducciones latinas del *Sobre la interpretación* aristotélico, la palabra que traduce el griego *symbolon* (los sonidos y las letras escritas son *notae* de las afecciones presentes en el alma) y, en general (según la definición de Kant en la *Lógica*), «aquello que, en una cosa, constituye una parte de su conocimiento». Kant prosigue especificando que los hombres conocemos siempre y solamente a través de las *notae*; Aristóteles había dicho que en el alma, considerado como bloque de cera, no se imprime el bronce o el hierro del anillo, sino su huella. A esto hay que añadir que no existe un conocer, incluso al nivel más elemental de la percepción, que no conlleve anotación, inscripción, colocada en la memoria (eso que todavía se siente cuando decimos «no lo he notado»: o sea, no he inscrito nada en la tablilla de mi memoria: es, por tanto, como si no lo hubiera percibido).

Así, el funcionamiento de la mnemotécnica se presenta como la utilización artística de un fenómeno psíquico natural: la inscripción de las impresiones, y el acto que resulta de ella, es decir, la asociación de ideas, la cual bien puede funcionar gracias a disparatados reclamos (cada vez que pienso en una cosa, me viene a la mente otra sucedida al mismo tiempo o en el mismo lugar, y puede ser reclamado también un pensamiento contiguo en el tiempo, o incluso sólo lógicamente conexo, o incluso unido por razones que se me escapan, como en la libre asociación). Lo sensible es aquí soporte de lo inteligible, justo en el modo en el que, en el párrafo 59 de la *Crítica del Juicio*, la belleza puede hacerse símbolo del bien moral; más precisamente, la *res cogitans* entra en contacto con la *res extensa* a través del misterioso trabajo de la memoria. Es la enseñanza de Bergson: la realidad de la materia y la realidad del espíritu están en una relación recíproca, ofrecida precisamente por la anotación de la memoria. La materia queda en el espíritu no como materia, no necesariamente como imagen realista, sino como huella de la sensación, dato temporal y no icónico que lleva lo externo a lo interno (el tiempo como memoria del espacio en Hegel), pero también lo interno a lo externo (los esquemas como formas de la temporalidad instituyente de la experiencia en Kant).

Si éste es el problema, se comprende fácilmente lo insuficiente que resulta concebir las imágenes como si fueran unos cuadros, en los que aquello que cuenta es lo que hay figurado (lo subraya Freud hablando de los sueños). Aquello que produce la asociación excede la imagen, que de manera consecuente vale como mera protomemoria. Es aquello que ve Aristóteles cuando habla, en *De imsomniis*, de asociaciones oníricas que operan no gracias a analogías formales, sino sobre la ayuda de impresiones no eidéticas. En otros términos: puede ser que un cuchillo valga perfectamente como símbolo fálico, pero nada excluye que al ver un cuchillo me venga a la mente algo que pensaba mientras cortaba el pan; recíprocamente, el fetichista más sublime se apasionará con cosas que se refieran a un idiolecto secreto, como en la inclinación que, según Baillet, Descartes tenía por los bizcos, quienes le recordaban a una compañera de la infancia.

En el pozo y la noche del alma no se tienen ni conceptos invisibles ni pinturas realistas, desde el momento que es difícil tanto pensar el principio de no– contradicción sin una aplicación determinada, como difícil es representarse de manera fidedigna los rostros de personas conocidas. Se tienen huellas, *notae*, aquellos «monogramas» de los que habla

Kant cuando, por ejemplo, se refiere a los fisonomistas, que a partir de dos líneas consiguen los rasgos de una persona. Recíprocamente, si nuestro ser espiritual es tiempo, como signo de ese singular movimiento que acompaña la actividad del alma, estas huellas, aún no especificadas en imágenes y en conceptos, son precisamente aquello que guía el reconocimiento de lo sabido y la capacidad archivadora como posibilidad del pensamiento. La afirmación de Kant, según la cual yo no puedo tener experiencia del tiempo (del sentido interno) sino a través de la representación externa y figurada del espacio, parece indicar una génesis común de lo interno y de lo externo, en la que reside el auténtico nudo problemático de la imaginación. Ella no sería tanto la función situada en los límites entre sentido e intelecto –la imagen propedeútica para el concepto, lo sensible que precede, ilustra o atesora lo inteligible–, sino más bien aquello que, precediendo al sentido y al intelecto, los hace posibles.

Si, al contrario, se concibe la imagen como una pintura, y el pensamiento como algo oscuro y fluente, las antinomias entre la imagen y su pretendido contrario no se resolverán jamás, y se solemnizará el manido estribillo que habla de un *logos* calculador y despiadado y una imaginación libre, deseosa de mandar, o al menos de sustraerse, a la tiranía de la razón. La estética sería, mediante esta nunca muerta retórica, lo contrario de las matemáticas, o su purgante quizá. Pero no se considera que estética, en sentido sumo, es ante todo la intuición que de verdades eternas tenemos en un triángulo.

Lo que frecuentemente se da por garantizado, cuando bien al contrario constituye realmente el problema de fondo, es que de una parte se encuentre el ámbito de los conceptos y de la capacidad del intelecto, la lógica, y de otra se encuentre el de las imágenes y la pasividad de los sentidos, la estética. Detrás de la diferencia lógica entre intuición y concepto se esconde por consiguiente, según Kant, la radical dicotomía metafísica entre la espontaneidad de un intelecto que actúa y aferra, y la pasividad de un sentido que no puede sino sufrir, y que –en rigor– no podrá ni retener aquello cuya impresión sufre. Pero precisamente esta distinción –tan densa y estratificada que llamarla aristotélica es aún decir poco– es, en su origen, problemática.

Desearíamos hacer referencia a un ejemplo tan sorprendente como banal: si una sensación me afecta y después se desvanece, me queda de ella su huella en la memoria oscura e instantánea del sentido. La huella se inscribe: es pasividad, ciertamente; pero, inscribiéndose se idealiza, predisponiéndose a la actividad. Esto sucede, sin embargo, en un único gesto, en el que la inscripción sensible y la retención inteligible no se distinguen. Es esta circunstancia la que interviene también cuando se distingue, ya desde el principio, entre *nous pietikòs* y *nous pathetikôs*. ¿En qué consiste tal actividad? En juzgar. Ahora bien, el perro que fue perseguido en una ocasión huye ahora a la vista del bastón; espero que mañana saldrá el sol no por ciencia astronómica, sino porque siempre ha sucedido así. Aquí un ejercicio mnéstico, una vuelta hacia el pasado, sirve de anticipación del futuro. En otras palabras: una pasividad *a posteriori* vale también como una actividad *a priori*.

Igualmente, un caso particular, idealizándose, valdrá como un caso general: Goffredo de Buglione llega a ser todos los capitanes de la historia. El argumento de la universalidad de la poesía respecto a la particularidad de la historia se puede leer de muchas maneras. O pensando en una abstracción por la que las características idiosincrásicas desaparecerían, y los rostros de las estatuas griegas no mostrarían ya a «ese» hombre, sino al Hombre; o bien pensando en un individuo particular, con rasgos únicos y definidos, pero que podría evocar o su categoría, o la idea del hombre, o su época, o incluso aquello que habríamos pensado cuando lo hubiéramos visto y que no tendría ninguna relación evidente con su rostro. Es la inmanente duplicidad de la imagen, que es, en uno, ella misma y el signo de alguna otra cosa, aquello por lo que no solamente un triángulo particular puede perfectamente representar un triángulo en general, sino también la Trinidad o, como en las señales de carretera, un peligro que no tiene nada que ver con el triángulo. El paso de una valencia a otra viene a través de una imagen. ¿No es quizá lo que dice Kant cuando, ya en el párrafo 59 de la tercera *Crítica*, hace notar (de acuerdo con Locke) que «fundamento», en sentido conceptual, tiene un origen sensible?

Hijos de un dios menor

Las páginas que siguen no serán sino un comentario a esa facultad mínima que acabamos de describir. Se comete sin duda una equivocación cuando se hace de ella un simple principio empirista, así como se equivoca eso que se llama, demasiado simplemente, «Empirismo». No se pretende decir que la huella idealizada es lo mismo que la sensación, está también lejos de esto. Primero es la impresión sensible, después está la idea, pero el antes y el después vienen al mismo tiempo. Es lo que quiere decir Kant cuando escribe que, al trazar una línea en el espacio, consigo una representación figurada del tiempo que, sin embargo, es también la unidad de la conciencia en el concepto de línea. A ello se añade que la línea es una marca en el espacio, pero es también una conciencia en el tiempo; es decir, ella, al trazarse, produce un espacio y un tiempo, una sensibilidad y un intelecto. Sucede en definitiva que aquello que tiene un valor fundante (para Kant: el sentido interno, la temporalidad y el intelecto) es constituido por aquello que, teóricamente, debería fundar, el sentido externo y el espacio; y que, inversamente, aquello que, por otro lado, tiene un valor instituyente, la sensación respecto a la cual somos pasivos, vale también como una actividad, o sea como espontaneidad sumamente originaria, desde el momento que al trazarse o al inscribirse da lugar al tiempo.

Es probablemente en esta lógica del suplemento en lo que piensan Plotino y Lacan cuando definen el amor como el don de aquello que no se tiene; aquí, la percepción da la idea, y la idea da la percepción. ¿Cómo es posible? La *tabula rasa* ha sido siempre una mala imagen de la percepción. Puede tomarse su versión en Demócrito y en Lucrecio: de los cuerpos se separan unas partículas que se imprimen en los ojos o pasan a través de los poros. En cuanto se intenta entrar en detalles, uno se enfrenta con unas dificultades sin final. ¿Qué se separa de los cuerpos?, ¿un icono del objeto?, pero, en ese caso, ¿qué hace que el objeto emita unas miniaturas?, ¿o es, al contrario, el ojo el que transforma un trozo de materia en un icono?, ¿pero dónde va a acabar la materia? Y aún más: ¿por qué el simulacro se detiene en el cuerpo? Si, como quieren los atomistas, todo esto depende del calor del cuerpo, deberemos ver mejor los animales que los minerales. Y después, ¿qué trayectoria sigue el simulacro? Si se tratara de una parábola desde el cuerpo al ojo, quien se encontrase por la calle debería ver los simulacros que salen desde las calles perpendiculares a ella. Y por fin ¿qué sucede cuando se ven más cuerpos juntos?, ¿no se crea una obstrucción de simulacros? Después de pocos segundos, estaremos llenos de imágenes, y la ausencia de la percepción se rebelaría como un enigma no menor que su posibilidad. (Estas aporías están enumeradas incluso en la *Sobre las sensaciones* de Teofrasto).

El hecho es que, desde el *Teeteto* y *Acerca del alma* en adelante, la hipótesis de la *tabula rasa* no es, precisamente, una teoría del museo, sino más bien de la huella, y, sobre todo, no se la requiere para explicar la percepción sino la retención, es decir, el modo en el que las huellas son archivadas en la memoria. Esto no es una manera de evitar el problema de la percepción, desde el momento que, debido a la temporalidad singular que caracteriza a la huella, el archivar y la percepción son lo mismo: precisamente porque en el alma no se inscribe la cosa sino su huella la mínima sensación es ya idealización, en un *eidos* que no es ni imagen ni ausencia de imagen, sino posibilidad de retención y de iteración. A través de la retención (y de la protensión) la imaginación llega a tocar la memoria y la temporalidad, no como un producto del tiempo, sino como su posibilidad. Doblamos una hoja de papel. Si el folio es lo suficientemente rígido, y los pliegues no demasiado profundos, tenderá a retomar la posición originaria. La huella aquí, ¿es del pasado o del futuro? Esto significa que percepción y retención son lo mismo, acontecen en un único instante que se divide en dos, dando lugar de una parte a la sensibilidad y de otra al intelecto. Así como escribiendo en el ordenador, uno puede cuestionarse si el acto de la inscripción tiene lugar cuando se golpean las teclas o cuando se pulsa «guardar», en la mente percepción y archivo se identifican.

Si seguimos esta hipótesis, entre percepción, imagen, *logos* y concepto no hay alternativa o contraposición, sino continuidad y, al mismo tiempo, diferencia absoluta, ya que precisamente la imagen es requerida, al mismo tiempo, para retener, mediar e instituir. Casi toda teoría de la escritura asume que los signos que la componen resultan del agotamiento o la abstracción de imágenes inicialmente realistas: alfa es una cabeza de buey, beta una casa. Poco importa que estas derivaciones sean estables, poco importa si beta puede ser también una pierna, un monte, una balanza o unas ubres. Lo que importa es que entre ideograma, jeroglífico y alfabeto no haya una separación tajante, sino progresión continua. De hecho, las formas, se encuentran en principio en la naturaleza, en el espacio, cualquiera que sea el significado que se les pueda conferir.

Es indicativo que Sócrates, en *Fedro*, atribuya la invención del *alfabeto* a un egipcio. Para Platón, no hay nada problemático en concebir como alfabetizado al pueblo de los jeroglíficos, precisamente porque, para él, cada imagen del mundo sensible transporta a una realidad inteligible. Y es eso mismo lo que, en *Acerca de la memoria*, Aristóteles explica concisamente diciendo que toda imagen puede valer como *theorema* o como *mnemoneuma*, como representación realista de una cosa o como llamada a otra, una otra que –como se ha visto– puede no tener ninguna afinidad morfológica con aquello a lo que envía (y, haría falta añadir, el mismo teorema es íntimamente mnemoneuma, por ejemplo cuando intuyo en un triángulo particular la propiedad general de un triángulo de su especie, o cuando se ama algo o a alguien porque es la alegoría de otro).

Si se entra en una pirámide, se tendrá alguna dificultad para afirmar que sólo los versículos del libro de los muertos son escritura (una escritura que se supone primitiva, porque no es lo suficientemente convencional y abstracta), y que, viceversa, las imágenes de Seth y de Anubi, que se repiten iguales a través de decenas de dinastías, son simplemente unas figuras. Análogamente, cuando los turcos sustituyeron en Santa Sofía los iconos por las suras coránicas, ¿se trató verdaderamente de un cambio no icónico? Es el valor general del símbolo, y también su enigma si seguimos a Hegel, aquello por lo que el carácter verdaderamente sibilino de los símbolos reside en el hecho de que no sabemos si se trata de símbolos o de representaciones realistas.

Son otros tantos modos de exponer nuestro hilo conductor. Como la memoria, la imaginación no sólo decreta el paso de lo sensible a lo inteligible, de la *physis* a todos sus pretendidos opuestos (*logos, techne, nomos,* etc.), sino que se especifica en una naturaleza y una cultura que ella misma ha hecho posible. El máximo de creación viene a coincidir con el mínimo, con la prestación pasiva en grado sumo de la huella. Lo que funda lo sensible y lo inteligible, en su mutua posibilidad, es el hábito de una repetición.

Como Theut, Mnemósine es una diosa tanto mayor como menor. Detiene y reagrega, crea porque recuerda; pero con esto su creatividad no resulta demediada, porque el acto del retener, que instituye juntos a la naturaleza y la idea, es la más grande invención que existe. Mozart compuso el final de *Don Giovanni* en una carroza, de viaje hacia Praga. Quien quiera, podrá insistir en su perfección al improvisar bajo el efecto de una inspiración superior; pero parece más sensato sorprenderse de la prodigiosa memoria impuesta por una capacidad tal, que requería la visión profunda y sinóptica de la ópera, y una facultad hipertrófica de cálculo. Si el poeta mediocre se determina a no leer ni a los clásicos ni a sus contemporáneos, para impedir que el grito de su alma resulte descolorido por influencias tales, parece bastante probable que el gran poeta sea hombre de gran memoria. La idea de la creación y de la imaginación como *creatio ex nihilo* se revela por tanto como la patraña más nefasta que ha rodeado nunca a las cuestiones artísticas, y tanto más absurda en cuanto una creación tal se aliaría con la sensibilidad, o sea con la retención por excelencia.

I

Antigüedad y medioevo

La luz y la tabla

Hamlet, dirigiéndose al fantasma, que acaba de salir de escena con las palabras «Adieu, adieu, adieu, remember me», lo llama «poor ghost», condición que mantendrá hasta que un recuerdo afectuoso le prepare un lugar en el mundo. El juramento de la piedad filial consistirá precisamente en la promesa de borrar de la «tablet» de la memoria todo recuerdo vil (el corazón «ensuciado de cera impura» del *Teeteto*) para retener ese único y particular recuerdo. La memoria escoge sus héroes, del mismo modo que olvida. También por esto último la imaginación es activa y pasiva al mismo tiempo e, incluso, es tanto más activa cuando es aparentemente más ciega y sorda, o sea, cuanto menos retiene las huellas de lo vivido. Preguntarse cuándo la imaginación se ha convertido en una facultad, o sea, una potencia activa del alma, es por tanto una pregunta pertinente sólo hasta un cierto punto, desde el momento en que ella es las dos cosas al mismo tiempo: en cuanto recibe las imágenes, es pasiva; y es activa en cuanto idealiza (o sea, conserva la impresión sin la materia) al retenerlas.

Así llegamos a la problemática cuestión de la idealidad. La metáfora del *logos* escrito en el alma era ya de uso corriente en la tradición de poetas y autores trágicos. Recorriendo estos testimonios se observa que la *tabula rasa* tiene que ver principalmente con una disposición para un fin; es decir, es una huella para una posterior aplicación en la que, de modo peculiar, pasividad y actividad se convierten en una sola cosa. Esquilo, en sus *Suplicios*, representa a Dánao en el momento que recomienda a sus hijos prudencia y les aconseja también inscribir sus consejos sobre las tablillas de cera de sus mentes. En las *Euménides*, es esta vez el coro el que dice que el señor de la muerte anota mentalmente los actos de los mortales, y que de ellos pedirá cuentas. En el *Prometeo*, el epónimo héroe ordena al Yo que escriba lo que ha dicho en las tablillas de su memoria. Así es también en Sófocles: en *Las Traquinias*, Deyanira dice al coro que ha fijado indeleblemente en su memoria los preceptos del Centauro, y en el *Filoctetes* Neoptólemo pide a Zeus que le imprima en la mente sus órdenes. También en el *Areopagítico* de Isócrates se lee que quien es rectamente gobernado no necesita galerías rebosantes de normas escritas, y que le basta con consultar su propia alma. La inscripción de la impresión es producto de la idea, en cuanto que el verdadero *logos* es el *logos* del alma, el cual vivirá imitando unas ideas que, a su vez, son imitaciones de la verdad.

Y ahora nos encontramos con la razón de que, cuando de ideas se trata, haya siempre cerca un cuerpo, una luz y una tabla para escribir. En el *Timeo* (70d-72d), Platón sitúa la *phantasia* en el hígado, que, siendo el órgano más lúcido, es también el más apropiado para la capacidad de reflejar. Esa referencia a la luz se transmite en la etimología aristotélica, según la cual la *phantasia* ha obtenido su nombre de la luz (*Acerca del alma*, 429a2-4). La hipótesis, que en sí es falsa, viene sin embargo respaldada por la comunidad de raíces con *phaino* y con *phantazo*. Testimoniada asimismo en los estoicos, la tal pseudoetimología se hará tradicional en la Escolástica, e, incluso para Addison, los placeres de la imaginación seguirán siendo ante todo visuales. La conexión con la luz está cargada de consecuencias: asociando la imaginación con el reflejo, Platón hace de ella el centro de una teoría del conocimiento, puesto que el hígado es otra imagen de la *tabula rasa*. Es importante para este propósito considerar que, en el *Timeo*, Platón anda en busca de aquel «tercer género», en posición intermedia respecto de las ideas y las cosas generadas, que haga posible el paso del cielo a la tierra, del pensamiento a la extensión, el mismo que Kant buscará en el esquema, intermedio entre las categorías y los fenómenos. Sea como fuere, la búsqueda de este tercer género resulta ser el quehacer más grande de la filosofía.

En el *Timeo*, el tercer género es la «madre», respecto a la cual la idea es el padre, y la cosa generada es el hijo, y Platón lo llama *ekmagheion*. Este término merece una atención especial. *Ekmagheion*, en el *Teeteto* (191c) es, precisamente, la tablilla de cera sobre la que se inscriben las impresiones; en el *Timeo* (72c), es en cambio el órgano situado junto al hígado que, como una esponja, lo mantiene siempre lúcido y preparado para reflejar; en las *Leyes*, finalmente (801b), *ekmagheion* viene a designar el modelo o el tipo, el esquema práctico que, por ejemplo, guía la aplicación de una ley. Puede sorprender quizá que una misma cosa sea aquello sobre lo que se traza la impresión, aquello que la borra, y aquello que es al mismo tiempo el modelo y el ejemplo como caso particular, o sea, al mismo tiempo, el padre, la madre y el hijo. Pero la sorpresa sería exagerada quizá para nosotros hoy, en una cultura católica que asume que el Espíritu Santo procede del Padre y del Hijo (y no, como en la Iglesia Griega, sólo del Padre). A través de esta multiplicidad de valores, Platón se está midiendo con aquello que, desde los atomistas a Freud, es el problema central de la *tabula rasa*, esto es, el hecho que ella deba ser simultáneamente un sistema de archivo, como una hoja de papel o una tablilla de cera, y un sistema reflectante siempre virgen.

Como dirá Freud, es necesario que el sistema perceptivo tenga a la vez las características de un negativo fotográfico y del espejo de un telescopio. Asociando la imaginación al reflejo hepático, Platón establece ya desde el principio el papel central de la *phantasia* en el conocimiento. Ella es a la vez aquello que refleja, idealizándola, la sensación, y aquello que la retiene aún a pesar de la idealización misma, pero sin que por esto se obstruya la superficie receptiva, siempre dócil a nuevas impresiones.

Es en este punto donde se sitúa el problema de la veracidad de la *phantasia*: es en la luz donde aparecen los fenómenos, pero no por esto toda apariencia es verdadera. En la *República*, Platón escribe que el dios no engaña con las *phantasiai*, o sea con las apariciones, y también contrapone a los entes (verdaderos) los fantasmas (595a) y los fenómenos (596e). Igualmente, en el *Sofista* (235a-236c), distingue, dentro de la técnica eidolo-poiética (el arte de producir imágenes), la exacta semejanza que se obtiene de la técnica eicástica (de la que viene nuestro «icástico») y la imitación descuidada que viene de la técnica fantástica, que produce una simple impresión de similitud. Son momentos característicos del esfuerzo por distinguir el conocimiento verdadero de la *episteme* del conocimiento falaz de la *doxa*; no obstante, el hecho de que la ciencia se encuentre situada en las ideas tiene por resultado el someter el conocimiento a un modelo visual. La inquietud que se tiene al confrontar las imágenes, y el malestar que, en ciertas ocasiones, nos puede venir ante los espejos, tienen origen en este problema: tanto lo verdadero como lo falso son imágenes (*eide*). La imitación (mímesis) puede ser tan perfecta que se convierta en identificación (metesis); inversamente, la metesis puede siempre esconder en su interior una imperfección o una deformidad, y convertirse en una mímesis falaz y demoniaca.

Es en este contexto donde se justifica la condena de las artes imitativas en el décimo libro de la *República*. Aquí ya no se trata, como en los libros segundo y tercero, de censurar formas determinadas de imitación, sino de proscribir la mímesis como tal. El motivo se busca no tanto en el carácter antifilosófico o inmoral de la imitación perversa por la que los hombres fingen ser mujeres, o animales, o incluso objetos, como jeringuillas o poleas, sino precisamente en la circunstancia por la que, si la realidad es visión, el productor de las visiones es siempre un rival de la realidad: el demiurgo crea las ideas, el artesano la copia, el artista imita la copia del artesano, y es «tercero contando a partir del rey y de la verdad» (*República* 597e). Un tercero incómodo por cierto, ya que el modelo del «tercer género» del *Timeo* corresponde precisamente a quien, como un artista, plasma figuras de oro. ¿Quién es, aquí, el legítimo «tercero»? Del mismo modo que el sofista es un rival del filósofo, así el artista es el antagonista del artesano, y su espejo ilusorio amenaza con comprometer la distinción fundamental entre apariencia y realidad. Por eso el filósofo condena al mimético, porque ve en él a su símil y a su hermano. Si, efectivamente, la imitación es el mal, no es menos cierto que, por otra parte, no existe ningún bien que no derive de la imitación, gracias a una ley inmanente a la doctrina platónica de las ideas, la cual se coagula en la circunstancia, capital, por la que las formas visibles son imitaciones de las ideas mismas (*Timeo* 50c).

La otra cara de la condena de la mímesis es la doctrina del Ejemplarismo, por la que el mundo es una obra de arte (*Timeo* 37c, *Cármides* 154c) respecto a la cual las ideas tienen el valor de una causa ejemplar. Cada cosa terrena se forma imitando la idea, pero la misma duplicidad sensible e inteligible del *eidos*, llega a confundir una jerarquía que es postulada de manera sencilla, desde el momento que no sería difícil sostener que las ideas no son sino el reflejo de los sensibles. *Paradeigma*, el ejemplo (aquello que en las *Leyes* se traducía también por *ekmagheion*), es o bien el plano del arquitecto, o bien el modelo del pintor y del escultor (*Timeo* 28c, *República* 592b), o bien el ejemplar divino de las cosas terrestres, o bien, por fin, lo precedente, como cuando se sigue el ejemplo de alguien (*Menón* 77b). A esto debe añadirse que tanto la regla (la idea, en una hipótesis extremada) como el caso individual, la muestra, son lo que, en la ocurrencia, puede convertirse a su vez en el modelo a imitar. El sofista, el genealogista y el mnemotécnico saben muchas cosas determinadas, pero no son capaces de pronunciar el *ti esti*, la esencia. En el mundo platónico, por el contrario, el caso individual es siempre signo de otro, del mismo modo en que, en el *Fedro*, un rostro de aspecto divino es imitación conseguida de la belleza en sí (256a; y, en el *Político* 300c, las leyes son imitación *mimemata tes alethes*: imitación de la verdad). Pero esta discriminación es al mismo tiempo autorizada e inhibida por la omnipotencia de la mímesis y por la ambigüedad del ejemplo, que es al mismo tiempo singular y universal.

Aquí entra en juego un tercer elemento, la memoria, o sea, esa facultad de retención que asegura la idealización. En el *Hipias Mayor*, donde Sócrates justifica las reglas mnemotécnicas, se contempla la posibilidad de establecer qué es lo bello, y las respuestas de Hipias son todas imperfectas, es decir, objetivistas: bella es una adolescente, bello es el oro, bello es vivir con riqueza, salud y honradez, etc. Se trata, entonces, de pasar de la enumeración de los casos particulares a aquello hacia lo cual remiten, siempre que sea cierto que Sócrates (*Hipias Mayor* 302b-303b) sugiere que los placeres de la vista y del oído son bellos no por lo que son singularmente, sino por aquello que son en sí mismos. El caso particular constituye aquí, desde el principio, el problema: la fuerza de la ejemplaridad del ejemplo consiste precisamente en el hecho de que el caso particular se trasciende a sí mismo, y la regla mnemotécnica radica en el hecho de que la imagen es al mismo tiempo representación realista y ayuda para el recuerdo en el caso opuesto. De modo que la crítica a los mnemónicos, como a la memoria, es dirigida normalmente por Platón en nombre de otra memoria. Es aquello que ya emerge en el *Fedón* (99d-100a), donde Sócrates, hablando de la búsqueda de la verdadera causa, dice que ha desviado los ojos de las cosas, buscándolas ahora en los *logoi*, del mismo modo que lo hacen quienes siguen un eclipse en un estanque –esto es, en su *eikona*– para no perder la vista; aunque las imágenes de los *logoi* sean aún más verdaderas que la realidad físicamente indagada.

Lo que en el Ejemplarismo, en la mímesis y en la memoria, resulta problemático es la presencia. ¿Qué es, desde esta perspectiva, lo presente?, ¿el sentido?, ¿la imagen en el estanque?, ¿el sol?, ¿la idea de una primera vez, no será una ilusión mnéstica, afín a las ilusiones ópticas? En el *Timeo* (22b-23c), Critias narra una anécdota egipcia que estará presente incluso en Novalis y Schelling: según la historia de un antepasado suyo, homónimo, Solón habría ido a Egipto, a Sais; aquí habría sido invitado por los sacerdotes a contar el origen del mundo a la manera de los griegos, y les habría hablado del diluvio y después sobre Deucalión y Pirras, quienes, arrojando unas piedras, habrían conseguido repoblar la tierra. Los sacerdotes se rieron: aquél no era el primer diluvio, sino sólo el último del que los griegos tenían noticias, precisamente porque (a diferencia de Egipto, donde todo es guardado por escrito en los templos) en Grecia cada aluvión acaba destruyendo totalmente los archivos. La anécdota –cuya profundidad se pone de manifiesto en el sobresalto que experimentamos ante la mínima impresión de *déjà vu*– indica una experiencia humana generalizada. Sin referencia a Platón, y mezclándose con la llamada a la caducidad de las cosas en el *Eclesiastés*, el diluvio reaparece en *Of Vicissitude of Things* de Bacon: las leyes desaparecen, engullidas por los aluviones de la historia, y reaparecen, como despojos salvados del naufragio, en otros pueblos. En Platón, y en el contexto de una cultura tan fuertemente marcada por los valores de evidencia y de intuición, ello suena sin embargo, y de modo especialmente claro, como una llamada de atención al hecho de que eso que aparece como una evidencia que se ofrece por primera vez, puede ser una repetición inadvertida. Es aquello que, en un texto órfico como el *Minuit* de Mallarmé, viene ilustrado por el toque de un péndulo en la noche: ¿es la media, la una, o el último toque de la medianoche?

Cada origen no sería sino la última grabación antes del fin, como sucede en la caja negra de los aviones. Con todo derecho quiso Mallarmé ser al mismo tiempo hegeliano y platónico. Este es en efecto el sentido de la doctrina de la anamnesis, por la que todo conocimiento no es sino el recuerdo de lo que se vio por primera vez antes de bajar al cuerpo (que a su vez desea porque ha sido privado de su mitad, según el mito del andrógino narrado en el *Simposio*). El sobresalto ante un rostro bello viene del recuerdo, porque la belleza pone en claro (nunca mejor dicho) el origen ideal de toda presencia mundana.

Es en este marco donde el problema de la memoria y de la mímesis llega a entrelazarse con el de la escritura. En la *República*, después de la condena de la imitación, aparece el mito de Glauco, cuyas facciones humanas se han desfigurado por la larga estancia bajo el agua, que ha incrustado en él (o, como también se dice, historiado) algas y conchas (611d ss), de modo que la huella, que también existe, se hace poco legible, como en el paso del jeroglífico al alfabeto; después aparece la historia de Er (614b ss), o sea nuevamente un mito anamnéstico, el del soldado muerto y resucitado sobre la misma hoguera que cuenta la vida del más allá; historia en la que se habla también del agua de Ameleta, que hace perder la memoria, de modo que el docto y el sabio beben menos (en el *Fedro* llegan a no escribir, porque la escritura ensucia la memoria). El mismo cuerpo (*soma*) es un signo (*sema*), además de una tumba (*sema*) (*Cratilo* 400c, *Gorgias* 493a), y el alma, en la tierra, se encuentra en el perenne estado de desfiguración en el que se encuentra el cuerpo de Glauco bajo el agua. A su vez, la causa que condena la escritura en el *Fedro* se instruye a través de la asimilación entre lo escrito y la pintura (una pintura muda que da la impresión de estar viva, *Fedro* 275c-276b, *Timeo* 19b-c), pero también en nombre de otra escritura, el *logos* escrito en el alma de quién en realidad puede decirse que sabe (*Fedro* 275c-276b). La alternativa dramática entre la sombra vana y la verdadera presencia se resuelve a través de la inscripción de eso que está verdaderamente presente en el alma y se desdobla en la contraposición entre la verdadera escritura, interna, viviente y elocuente, y la externa, agonizante y muda.

En otros términos, la huella externa, visible y sensible (la imagen) es proscrita en nombre de una marca interna, inteligible. De aquí el valor de la opinión referida en Diógenes Laercio (*Vida de Platón*, 40): «Pensaba en dejar recuerdo de sí, bien en los amigos o en los libros». La condena de la escritura no es una prerrogativa platónica, y vuelve a encontrarse, por ejemplo, en el discurso de Alcidamo *Sobre los Sofistas*, aparecido no más tarde del 380 a.C. Descartada la referencia cultural, sobre la que tanto se ha escrito, viene bien preguntarse en qué sentido libros y amigos son, para Platón, equipolentes. Se trata por un lado de censurar la letra muerta para valorar la escrita en el alma, en la tabla de la memoria, como en Hamlet. Pero no toda escritura es un mal, y el libro puede valer tanto como un amigo si su prosa está viva. La logografía de Lisia, condenada en el *Fedro* es, por el contrario, un caso de mala retórica que, a diferencia de la de Gorgias y de Tucídides, no se pronuncia primero y luego se escribe sino que, precisamente al revés, más bien es escrita y sólo ocasionalmente pronunciada. Por el contrario, en el ideal platónico, el *ghegrammeenos logos* no es sino un *eidolon* del *logos zoon kai empsychos* (esto sirve para hacer notar en cuánto tenían los griegos en consideración el alfabeto). El mutismo de la letra es el del mutismo del sofista, que, interrogado, no sabe responder, ni sabe a su vez preguntar, pero resuena como un bronce golpeado (*Protágoras* 329a). En definitiva: Platón no quiere prohibir la escritura, sino reivindicar la circunstancia de que la verdad trasciende siempre lo escrito externo, para hacerse interioridad psíquica y praxis de vida, según la lógica por la cual todavía hoy se condenan los, así llamados, «saberes librescos».

No se trata de una condena de la huella en cuanto tal. Esta condena se encuentra, por el contrario, en el corazón de la gnoseología platónica. Ello es aún más evidente en el *Filebo* (38e y ss). El alma se parece a un libro, ya que la memoria escribe discursos en las almas, y el error nace cuando el escribano interior escribe en falso. Lo que es más significativo aquí, es que *primero* un escribano anota las imágenes, *después*, en el acto de la búsqueda de un recuerdo, un pintor transforma la huella en una imagen. El modelo fundamental del conocimiento es entonces la escritura como inscripción de la huella. Así también, en el *Teeteto*, después de haber propuesto la imagen del alma como un bloque de cera, Platón escribe también que ella es como un palomar lleno de pájaros (*Teeteto* 197d), que a veces pueden ser llamados y aparecen solos, y otras veces en bandada. La asociación de ideas opera según el modelo de un índice, de un listado.

Pero si escribir no fuera realmente serio, no se entendería por qué razón Platón admite que las leyes sean escritas. Es significativo (*Fedro* 268a-270e) que la escritura sea condenada en todas esas artes, *in primis* la medicina, en las que saber cosas es inútil si no se conocen su orientación y aplicación. Tómese el argumento del *Político*: el rey actúa por la fuerza de una ley no escrita, de la que la escrita es una imitación y un lenitivo. Es en este contexto donde se sitúa la condena a los hermeneutas, o sea a aquellos que, sin capacidad, quieren aconsejar al soberano, pretendiendo instruir desde el exterior la *techne basilikè*. Dentro de este ámbito subordinado entra de nuevo quien interpreta los oráculos (*techne hermeneutikè*), quien exhorta a los remeros en las naves, y después los adivinos, y los heraldos (260d-e). Más tarde (290b), hablando de la muchedumbre de mediadores y gestores propensos al abuso (cambistas, comerciantes al por menor, mayoristas, armadores: Sócrates el joven dirá que los mayoristas tienen algún derecho para ejercer como consultores) contará nuevamente, entre los pretendientes ilegítimos al arte regio, a los heraldos y a los que se convierten en escribas, «y a otros habilísimos en el prestar servicio de muchos tipos a los magistrados»; poco después añade en la cuenta a aquellos que practican una ciencia coadyuvante a la adivinación, es decir, precisamente a los *hermeneutai* y los sacerdotes (290c). Pero el rey trabaja solo, con leyes escritas o no escritas, con o sin violencia, aceptado o no. No necesita de intérpretes, ni de cambistas ni adivinos (o al menos se servirá de ellos sólo de modo subordinado) del mismo modo que la ley supone para él nada más que una marca (*ichnos*, 301e). Y no obstante, después de haber aclarado el carácter subordinado y superfluo del consejero del soberano, Platón escribe que quien, a pesar de todo, quisiera llevar a cabo una investigación sobre el arte de pilotar, del navegar o del curar, no sería llamado ni piloto ni médico, sino «sofista charlatán», y se le podría denunciar como corruptor de jóvenes (299b-c).

Es Sócrates. Y parece problemático pensar que Platón no quiera, por este camino, sugerir que la consultoría es siempre y únicamente inútil. Lo sería, ciertamente, si alguna vez se hubiera dado un ejercicio pleno de la *techne basilikè*; pero, poco después, Platón escribe: «en caso de que una vez naciese un rey, tal como aquél del que hablamos» (301d). Por tanto, el soberano, *quizá*, no exista, y todos aquellos que se presentan como soberanos son falsos pretendientes, no menos que los cambistas, los heraldos y los sofistas. Pero también el filósofo es solamente una idea, como lo será en Kant, que, más tolerante que Platón, admite la legitimidad de tomar como ideal al sabio estoico de, pongamos como ejemplo, una novela filosófica. Pero asimismo prescribe claramente que se le considere como un auténtico filósofo, que se distingue de los falsos pretendientes a serlo por un deseo de saber que no es un hecho, como ilusoriamente pretende la escritura, sino una promesa, que puede ocasionalmente sacar provecho de lo escrito, como hacen los ancianos olvidadizos, pero con el conocimiento de que la vida sin investigación no tiene valor. La huella, por tanto, añade siempre algo más allá de sí misma.

Quizá Platón no esté haciendo un examen de la realidad, no defina una ontología, sino la cooperación entre el ser y el no ser, entre el ser ideal y el real, e inversamente. Platón, entonces, no prepara, como quiere interpretar Heidegger, el olvido del ser, sino que describe desde el principio la extrema problematicidad de todo discurso que verse sobre el ser; una problematicidad que no pertenece tanto al discurso como al ser y al estatuto de la presencia, que es, antes que un algo dado, una esperanza. En este sentido, el hecho de que la ley deba entenderse no como un tirano, sino como padre o madre (*Leyes* 859a) hace referencia sin duda a la definición de la ley en el *Critón*, pero también a la filiación por la que el *logos* escrito en el alma de quien sabe (de quien sabe aplicarlo, por tanto) es el hijo legítimo, siendo el ilegítimo la escritura. Pero, precisamente porque una superioridad regia no es tan evidente entre los hombres como en, digamos, las colmenas, es necesario que las leyes sean hechas colegiadamente, siguiendo las huellas de la constitución más verdadera. La señal lleva hacia el verdadero ser, y es condenada sólo cuando amenaza con volverse estéril, o sea cuando no vale como esquema para resurgir hacia lo más alto o para la constitución del acto en el mundo de los fenómenos. La vida del espíritu es otro modelo y otro valor de la presencia. Precisamente la contestación a esta asimilación entre percepción, recuerdo e idealización está en la base de la crítica antiplatónica de Aristóteles.

La presencia y el fantasma

Acerca del alma contiene la más famosa imagen del conocimiento como *tabula rasa.* Para Aristóteles, el intelecto es en potencia todos los inteligibles, pero en acto, antes de pensarlos, ninguno: como en una tablilla en la que no haya nada efectivamente escrito (429b30-430a3). El lugar de las imágenes es el alma, que no es una *tabula* físicamente real, ni depende directamente de las marcas que un estilo o sello en ella impriman. Polemizando con la interpretación empirista de esta cita, Hegel observará que, en la *tabula rasa,* el alma es la forma, y la forma es universal, de modo que el acto de recibir la impronta no es la pasividad lockeana, sino un acto que (transcribiéndolo a términos kantianos) depende de una estética y de una lógica trascendentales. Este punto debe ser destacado: en tanto desdichada, y siempre en la interpretación antiempirista de Hegel, el alma es una forma. Cuando se formatea un disco blando, los 2 megas de memoria se convierten (en los sistemas DOS) en 1,4: la posibilidad de escribir, la posibilidad de recibir es ya escritura. Entre la sensación y el intelecto se encuentra por tanto la imaginación como posibilidad de la forma, es decir, también como posibilidad del formateo, de la formalización y de la formación, que Aristóteles califica en *Acerca del alma* como retención de lo ausente, del *eidos* sin *hyle.* Esta caracterización es llevada a cabo con una constancia tal, que puede ser confirmada desde en la juvenil *Retórica* hasta en los análisis fenomenológicos de los *Parva naturalia,* posteriores al tratado sobre el alma, que hacen referencia a la extenuación de la imagen del sol en la mente o a la supervivencia de las experiencias diurnas, que son allí comparadas con un proyectil que lleva a cabo su misión incluso cuando su causa eficiente se desvanece. Ciertamente la imagen es, o bien el espejismo, o bien la forma que acompaña a la materia, y es precisamente aquí donde el problema comienza a esbozarse (problema que usualmente se interpreta como algo inmanente a las relaciones entre sensibilidad e intelecto, pero que, por nuestra parte, sugeriremos que tiene que ver más bien con la idealización que interviene en el acto de la percepción).

Aristóteles avanza la hipótesis de dos intelectos: uno, que hace referencia a los sentidos y que necesita de la imaginación; el otro, puro e impasible y que puede no necesitarla (*Acerca del alma* 430a18-19). Obviamente, el intelecto pasivo se presenta como algo extraordinariamente cercano a la *phantasia*; ésta, a su vez, es análoga a la sensación y, como leemos en *De insomniis* (459a15) difiere de ella sólo en su *einai*, en su ser. La referencia es sibilina, desde el momento en que el ser es definido por la presencia y se trataría, entonces, de comprender en qué sentido la presencia del sentido se diferencia de la presencia de la imaginación. Igualmente, centrándose en esta ocasión en la referencia a lo inteligible, Aristóteles escribe también que nuestra parte rectora y la parte que produce las imágenes no son la misma. Limitémonos por el momento a la cuestión gnoseológica. ¿Sobre qué bases se apoya esta distinción, que vuelve a hacer referencia precisamente a los tres géneros del *Timeo,* y que se verá complicada en los escritos de los comentaristas? La sensación es del particular, la demostración es del universal, y, según el argumento desarrollado en la *Metafísica* (981a7 y ss.), la colección de hechos particulares difiere esencialmente del conocimiento intelectual. Este último es, como tal, independiente de su soporte, ya que, conforme a la formulación que se encuentra en *Acerca de la memoria*

(449b31), el triángulo que sirve para la demostración no es en cuanto tal objeto de la demostración misma, y no sólo en el obvio sentido de que no se está exhibiendo una peculiaridad de tal triángulo particular, sino de todos los triángulos que tienen las mismas propiedades, sino también en ese otro sentido, más radical, por el que las propiedades no dependen del triángulo en cuanto tal. Pero entonces, ¿de qué dependen?

Aristóteles escribe (*Acerca de la memoria*, 450a1-2) que en el pensar acontece el mismo fenómeno que acontece al dibujar una figura (*diagraphein*, lo cual nos dirige al problema de la construcción geométrica, sobre el que discutirán Descartes, Vico y Kant), de modo que, aunque el pensamiento pueda prescindir inicialmente de la referencia a un tamaño determinado, de hecho (y por una circunstancia psicológica) se sirve de él. Entonces, el pensamiento depende de la imagen no por la esencia (de la imagen), sino por accidente. Un fénix puede representar un individuo particular o una especie de pájaro, el reino animal o la inmortalidad, una marca de *anisette* argelino o una ciudad en Arizona, un teatro de Venecia o, quizá para alguien, una asociación de ideas totalmente secreta e idiosincrásica, como «nuestra canción» o algo por el estilo. Todos los tradicionales argumentos sobre la independencia del pensamiento respecto a las imágenes, reavivados por el cartesianismo, tienen aquí pleno vigor y, en la psicología contemporánea, la distinción de Kanisza (1991) entre pensar y ver se apoya todavía, aunque a través de la mediación de Wittgenstein, sobre esta partición aristotélica. La facultad noética piensa las formas inteligibles en las imágenes sensibles, y basándose en éstas determina el objeto que hay que seguir o del que hay que huir. Quien pueda ver, gracias al mero sentido común, una antorcha, y la reconozca en movimiento, infiere de ello que el enemigo está cercano, y decide como si lo tuviera ante sus mismos ojos (*Acerca del alma* 431b2-8). Insertándose en la plurisecular polémica sobre la imaginación y el intelecto en Aristóteles, Rodier, en su comentario a *Acerca del alma*, hace notar que no se podría decir más claramente que las imágenes no son objeto del intelecto, sino sólo vehículos de los conceptos. El mismo Rodier, comentando el lugar (*Acerca del alma* 432a9-10) en el que Aristóteles escribe que las imágenes son como las sensaciones, sólo que les falta la materia, observa que los *aisthemata* no son en absoluto más materiales que los *phantasmata*, y que la diferencia es sólo temporal, precisamente la diferencia que existe entre la presencia y la ausencia. Este punto es crucial, porque si resultase que la temporalidad estuviera a su vez constituida por la retención idealizante de la sensación, la diferencia entre sensación y fantasma resultaría muy problemática.

Es precisamente lo anterior aquello que se puede concluir a partir de la lectura de Aristóteles. De una parte, en la *Física* (219a3-4) podemos leer que percibimos al mismo tiempo (*hama*) el movimiento y el tiempo, es decir que el movimiento de la temporalidad, gracias al que definimos la presencia del presente, es el éxito de una retención. Esta retención tiene lugar ya en el acto de la percepción: la de la sensación presente pero ya idealizada, desde el momento que en el alma no está la piedra, sino su *aisthema*. Esto es aún más claro en la temática de la *koinè aisthesis*, de la que se trata, entre muchos otros lugares, en *Acerca del alma*, y en la que se profundiza en los *Parva naturalia*. En *Acerca del alma* (425a9-18), Aristóteles escribe que los sensibles comunes son el movimiento, el reposo, la forma, el tamaño, el número y la unidad; en *Acerca de la memoria* (451a17 y 452b7-9) se añade a ellos el tiempo. Estos sensibles son percibidos gracias al movimiento: el tamaño se siente a través del movimiento que provoca en nosotros, y la forma es una especie de tamaño. Cuando asocio una percepción visual a una auditiva, por ejemplo un sonido y el objeto que lo produce, llevo a cabo una síntesis en la presencia. Pero la síntesis en la presencia es consecuencia de una síntesis *de la* presencia. Es precisamente en este sentido en el que sugerimos leer el pasaje del *Acerca de la memoria* (451a15 ss.) en el que el tiempo es situado también entre los sensibles comunes. Porque la distinción entre el *aisthema* y el *phantasma* como dos *aisthemata*, presente el uno, ausente el otro, era temporal. Entonces, si el tiempo es un sensible, ello fundamentaría aquella diferencia entre lo sensible y lo inteligible por la cual *ya* habría sido, por otra parte, fundado. Transcribiendo la cuestión en los términos de la relación sensibilidad-imaginación-intelecto podemos decir: si la imagen que acompaña regularmente al pensamiento no es sino una sensación retardada, entonces este retraso y esta diferencia, que se hallan en la base de la posibilidad de lo inteligible, encuentran asimismo su recurso factual en ese sensible común que es el tiempo.

Aquí el problema gnoseológico se duplica en otro ontológico, que opera ya, y ante todo, en la percepción presente, desde el momento en que lo que constituye un problema no es sólo la impasibilidad del intelecto, sino también, y ya en la sensación misma, la presencia. Aristóteles afirma resueltamente que del presente no hay memoria (*Acerca de la memoria*, 449b25-30), y se apoya en una axiomática de la presencia para trazar una línea, una demarcación entre la presentación y la representación, asignando al primer dominio el ámbito de la percepción, y al segundo el de la retención y la protensión, de modo que pueden distinguirse los fenómenos propios de la presentación de los relacionados con la representación, que asocian la espera, la memoria y el tiempo. Pero no es precisamente esta diferencia la que está en cuestión. Nosotros no conocemos jamás la sensación como tal, tenemos de ella sólo el fantasma que está en el pensamiento. La sentencia por la que cuando pensamos, necesariamente pensamos de modo simultáneo (*hama*) un *phantasma* (432a8-9), quiere decir justamente que en el alma no está la piedra, sino su huella. El modo en que se da el recuerdo y el modo en que se da la presencia no son opuestos, sino que son, según un modo difícil de pensar –precisamente porque ese modo hace posible el pensamiento–, *lo mismo.*

Al definir el tiempo como un sensible común, Aristóteles había ya colocado una pesada hipoteca sobre la posibilidad de un intelecto separado de la sensibilidad. Aquí nos encontramos con la otra cara del problema: si el tiempo es una afección del sentido común y de la memoria, *la memoria actúa a la hora de definir el tiempo antes de que el tiempo defina la memoria.* Este punto parece mucho más que una indigencia empírica, desde el momento en que hace colapsar también por este camino la diferencia entre sensación, imaginación y pensamiento, así como entre recuerdo, presencia y expectación. Que del presente se tiene sensación y no memoria, es algo que se dice a partir de una presencia y de un presente que son el resultado de la memoria, de la cual se deriva tanto el intelecto como la sensibilidad, la presencia ideal y la sensible.

«Todas las sensaciones son verdaderas»

Identificar el saber con la sensación, y decir que todas las sensaciones son verdaderas, ¿significa justamente asumir que el alma es como un jarrón, o como aquellos caballos llenos de aqueos que engañaron a los troyanos, tal y como reza el argumento irónico con el que, en *Acerca del alma,* Aristóteles azota a los atomistas?

Los epicúreos retoman en lo esencial la doctrina de Demócrito (¿460-370? a.C.), por la que de los cuerpos se separan unos *eidola,* que reproducen sus formas en miniatura, y golpean la pupila. En este sentido, en la gnoseología epicúrea, la *phantasia* no es una representación de la materia, sino que es materia ella misma, constituyendo más bien una presentación o una «intuición representativa de la mente». Lo que se entiende por esto se deduce fácilmente de la exposición de *De la naturaleza* (especialmente el libro IV, vv. 722-822) de Lucrecio (98 a.C.- ¿54? a.C.), cuya fuente principal fue probablemente el tratado de Epicuro *Sobre la naturaleza*. En el aire vagan simulacros (precisamente los *eidola* de Demócrito y de Leucipo), éstos se encuentran y se fusionan los unos con los otros, después de haberse separado de cosas tales como muebles, vestidos, árboles, y sobre todo de los seres vivientes, calientes y agitados. Los simulacros más grandes, esto es las miniaturas de los seres, se imprimen en los ojos y provocan la visión. Otros simulacros, más sutiles, penetran en cambio a través de los poros. Precisamente por su ligereza, y por la levedad de la trama en la que se agregan, no tienen dificultad alguna a la hora de componer imágenes monstruosas, como los cerberios o los fantasmas de los difuntos. En ese caso, igual que en la construcción de seres imaginarios como los centauros, esos ídolos que se han dejado marchar desde cuerpos reales se componen de otra forma, dando vida a ficciones irreales y a composiciones jamás vistas. Entre la visión del espíritu y la de los ojos, y entre la visión de cosas verdaderas y la de fantasmas, no hay diferencia sino de grado. Cuando veo un león, es porque sus simulacros me golpean los ojos; lo mismo sucede cuando pienso, excepto que en ese caso los simulacros son más sutiles. Durante el sueño, la inercia espiritual no levantará jamás sospechas sobre la veracidad de las imágenes que se compongan, dando así vida a hombres muertos hace tiempo, que parecen moverse porque (como en los dibujos animados) las imágenes en varias posturas se suceden rápidamente. Más problemático es explicar por qué, cuando nos captura la fantasía de un objeto, rápidamente nos aparece su idea, y por qué basta la palabra para evocar desfiles, banquetes y batallas. Y aún más problemático resultará explicar por qué los mismos sueños parecen tener una razón suficiente (quizá los simulacros dancen: ¿quién les ha enseñado?), y por qué el espíritu despierto se muestra activo respecto a los tales simulacros, de modo que, para tener visiones coherentes, selecciona de ellos algunos y abandona otros. Si Lucrecio no consigue explicar de qué modo la mente domina las imágenes, precisamente por eso aclara por qué puede caer presa de las mismas: «rostros y edades diversas desfilan uno después del otro; pero el sueño y el olvido se encargan de disipar nuestro estupor» (IV, 820-821).

La cualificación estoica de la fantasía es la contraria a la de una huella en el alma, y análoga a la del dedo que escribe sobre la cera. En los *Academica* (I, XI, 40-42), Cicerón suministra una sucinta exposición de esta doctrina: para Zenón, la sensación es, justamente, una clase de impresión que deja dicha huella sobre una mente concebida como *tabula rasa*; a la impronta externa se acompaña, desde el interior, un *adsensus animi*. Ahora bien, no todas las impresiones son verdaderas, sino sólo las que tienen una peculiar manifestación (*enàrgheia, declaratio,* donde debe entenderse el *clarus,* como lo claro en grado máximo que en Platón es el signo de la belleza). La representación veraz, percibida como tal por su intrínseca naturaleza, es definida por Zenón como «comprensible» (*Kataleptòn),* y es considerada como verdadera por analogía entre el aferrar del espíritu y el modo en que una mano aferra un objeto. El término *leptòn* viene, de hecho, prestado, del aferramiento físico. Se trata de una transferencia análoga a aquella por la que *Begriff,* el concepto en alemán, viene de *greifen,* aferrar. Pero aquí la dimensión es menos metafórica: una cosa aferrada por la sensación es una sensación; pero una sensación aferrada tan firmemente por el conocimiento que es inamovible es *scientia,* mientras que la ignorancia y la opinión vienen de aferramientos precarios.

Resulta por ello que, en la gnoseología estoica, sentido e intelecto se identifican en el acto de la visión. La noción de una fantasía así concebida es entonces la de una evidencia, desde el momento que, en forma de certeza, asume la existencia de la cosa percibida. La problematicidad de una evidencia semejante, que suma el ojo físico al del espíritu, no escapa a la reflexión estoica. Los neo-estoicos, desde Zenón de Tarso a Epicteto, distinguirán entre una fantasía cataléptica a la que se contrapone la duda (como cuando Admeto reconoce a su mujer Alcestide resucitada, pero sabe que está muerta), y una fantasía *katalektè*, en la que la duda es superada por una plena visión de la verdad. Desde este punto de vista, la imaginación es necesaria no sólo para el conocimiento, sino también para la acción voluntaria, como ya era el caso de la *phantasia bouletikè* (esto es: deliberativa) en Aristóteles, desde el momento en que la acción requiere *phantasia, synkatathesis* (consentimiento) y *hormè* (impulso).

Iconoclastia e iconodulía

Eikòn, ya en los griegos, podía ser la imagen de Dios, al modo en el que, en Platón (*República* 509), Helios es *eikòn* de Dios porque confiere visibilidad, alimento y crecimiento al mundo; pero *eikòn* era también la imagen del emperador, por ejemplo, la efigie impresa en las monedas. La luz blanca de un desierto poblado por nómadas, en el que la falta de recursos y de colores ha dado vida a todas las religiones monoteístas, es en cambio la idea inglesa y romántica con la que se abre *Los siete pilares de la sabiduría* de Lawrence de Arabia; y el «Tú no harás ninguna imagen» es, incluso para Kant, el precepto más sublime de la religión hebraica, del mismo modo que, para el Hegel de la *Estética*, este principio coincide con la definición de lo sublime. Con o sin razón, se piensa frecuentemente en la religión recibida como la exacta antítesis de la idolatría, que por ejemplo adora un becerro de oro.

Para los cristianos, el único culto admitido era el de la Cruz, a medio camino entre imagen y esquema, jeroglífico y alfabeto, ya que la *chi* griega, inicial de Christos, tiene la forma de una cruz de San Andrés. Se imponía por ello el problema de qué hacer con la imagen de Cristo. Para Juan Damasceno y para la teología oriental, la imagen no puede ser proscrita, precisamente porque Cristo es imagen de Dios, y el hombre lo es (en un plano ontológico inferior) *a* imagen de Dios. Así era también en los padres latinos, en Agustín, y antes de él en Filón, que se apoyaban en una cita de Pablo (*Primera carta a los Corintios,* 11,7), por la cual el hombre no debería cubrirse la cabeza porque es imagen (*eikòn*) y gloria (*doxa*) de Dios. El icono, en este sentido, es perfecta presencia de lo invisible: la palabra puede ser inadecuada para hablar de lo divino, la imagen no. Las ambigüedades ontológicas encerradas en esta situación saldrán a la luz en Bizancio, entre los siglos VIII y IX, precisamente con la discusión promovida por los rigoristas (que retrotrayéndose a Orígenes, Ireneo y Eusebio de Cesarea querían acentuar sus diferencias respecto a los paganos en nombre de una fidelidad más marcada al Antiguo Testamento, y por tanto proscribir las imágenes), contra la actitud más liberal de quienes, retrotrayéndose a Gregorio Magno (y a su vez inspirados por el platonismo), salvaban los iconos por su valor propedeútico. En el 730 el emperador León III, el Isaúrico, acabó por autorizar la iconoclastia, argumentando que la representación realista de Cristo habría dado aliento al Monofisismo, que no admite en Cristo sino la naturaleza divina. En el Sínodo de Iera (754), convocado por el sucesor de León III, Constantino V Coprónimo, se decretó que el auténtico culto a Cristo y a los santos se habría de realizar reproduciendo sus imágenes en el corazón y en la vida, y que la verdadera presencia de Cristo se encontraría en la eucaristía.

El Concilio de Nicea (787) vuelve a admitir la veneración a las imágenes, pero la cuestión, por su complejidad teológica que reproduce la densidad ontológica y gnoseológica del problema de las imágenes, estaba lejos de quedar resuelta. De tal modo puede considerarse el hecho de que Lutero negara que en la eucaristía estuviera presente Cristo, sosteniendo que la hostia no era sino un símbolo (con la amenaza de un redoblamiento ontológico), y que, en el mismo plano de la imitación de Cristo, Kant, en *La religión en los límites de la mera razón* (1797) afirmase que la misma ejemplaridad de la vida de Cristo no puede ser considerada sino como un símbolo de una vida moralmente pura que debería desarrollarse en el espacio no icónico del corazón del creyente, quien a su vez debería asumir a Cristo como regla (esquema inteligible) y no como ejemplo (imagen sensible).

La forma como señal de lo informe

Ya en el pensamiento de Plotino (205 aprox.-270 aprox.) había quedado resuelta la ambigüedad platónica, por la que el *eidos* es o bien la apariencia mundana o bien el objeto que se presenta a los ojos del espíritu. Esta transformación no parece una simple variación gnoseológica, sino que se inscribe en una compleja modificación de la ontología, que en Plotino ya no ocupa el primer plano, aunque desarrolle las aporías inmanentes a la reflexión griega clásica: no el ser, sino lo Uno es lo primero, y sólo después vienen el intelecto, las ideas y el ente. En este sentido, lo uno –que trasciende el *nous*, el intelecto, que es a su vez trascendente respecto al *logos*– es un no ser, que sin embargo no es una nada, sino que es aquello que realmente hace que los entes sean entes. Más que salirse de la ontología griega, lo que hace Plotino es retroceder un paso respecto al ser, o sea, se dirige a la condición de su posibilidad. Igualmente, y descendiendo al plano de lo visible, las ideas son pensamientos de la divinidad, y no elementos inteligibles que preexistan a Dios. Esto significa que el *eidos* no es la medida última de la realidad, que emana de un centro invisible.

La célebre sentencia por la que la forma no es sino señal de lo informe (*Enéades*, VI, 7) se sitúa precisamente en una discusión sobre lo bello inteligible: la esencia es tanto más bella cuanto más está despojada de forma. De hecho, el intelecto disminuye cuando piensa en un ser particular, y la realidad auténtica, que domina lo bello, no tiene medida. Los amantes que se desean por su cuerpo aún no se aman verdaderamente, desde luego no más de lo que un empirista es un sabio. Se sigue de ello que lo que verdaderamente amamos en las formas es el intelecto, no la materia y *ni siquiera un eidos*. En el plano de las doctrinas estéticas, hay que nacer notar como aquí se asiste a una reformulación del nexo tradicional entre mímesis e imaginación, desde el momento en que no se trata ya de imitar la idea, sino más bien de trascender la forma. La inteligencia y el alma intelectiva son anteriores a la sensación y a la imaginación (que, lo veremos, interviene sólo al nivel de la reflexión); recíprocamente, el sumo arte es la imitación no de lo sensible, sino de lo inteligible. Es el valor que se encuentra también en la *Divina Comedia* (XXXIII, 142): «Faltan fuerzas a la alta fantasía» (o sea, los recursos positivos de la fantasía vienen a menos cuando nos acercamos a lo puramente inteligible).

No es difícil ver cuánto ha influido este discurso sobre las concepciones estéticas antiguas y modernas. Baste pensar, además de en la valorización de lo sublime como aquello que se sale de la representación mostrando la insuficiencia de la misma, en la excelencia de la que goza la música como arte de lo invisible en la sistemática estética de Schopenhauer. Este desenlace no es fortuito. También prescindiendo del papel que el neoplatonismo tuvo en las teorías renacentistas de la pintura, considérese por ejemplo, en la *Crítica del Juicio*, la reivindicación de la superioridad de la belleza vaga sobre la belleza adherente, y la conexión de la belleza con la finalidad sin fin –la de, por ejemplo, un tulipán, del que no se sabe decir por qué florece–. El sentido del tulipán es sentido espiritual porque es sin materia: *eidos aneu hyle*, según la caracterización de la imagen en *Acerca del alma*, que se radicaliza en Plotino como *eidos* sin *eidos*, anticipando así la paradójica fascinación estética por lo invisible que, por ejemplo, ha sido tematizada en nuestro siglo en la oximorónica «luz negra» de Maurice Blanchot.

Por otra parte, precisamente el hecho de que el alma y la imaginación sean bifrontes, dirigidos al mismo tiempo hacia lo alto y hacia lo bajo, hace de ellas el vehículo de una mediación. Se trata de eso que la fenomenología tematiza como trascendencia de la imagen, que domina el pensamiento (como *nous*), añadiendo, además de sí, al objeto, y suministrando a la inteligencia sus objetos. Así sucede en el cuarto tratado de la primera de las *Enéades*: el pensamiento es sin imágenes, olvidadizo de sí; el alma refleja en sí misma la razón y el intelecto, pero el espejo psíquico puede romperse, y entonces el pensamiento permanece en su estado no icónico. No se trata de una condición sólo patológica: por ejemplo, si se lee con atención, uno no se da cuenta de qué lee. Plotino, con un argumento de matriz aristotélica (que de manera regular irá reapareciendo en la historia de la filosofía) concluye que, si el pensamiento fuera sólo imagen, no sería posible la conciencia que, asimismo, tenemos del hecho de que la imagen *acompaña* al pensamiento. Aquí, por tanto, la imagen es un requisito no del *nous*, sino del *logos*, que está subordinado, y que se mueve dentro de una *phantasia eikonikè* dotada, si bien de modo limitado respecto al conocimiento de lo visible, de un valor constitutivo. Así, en el tratado sobre la impasibilidad de los incorpóreos (*Enéades*, III, 6) Plotino escribe: si imaginas un ser que tenga noción del tamaño, y que ésta sea lo bastante fuerte como para salir del pensamiento, dirigiéndose hacia lo exterior, tal noción deberá tomar una naturaleza que no está en la inteligencia, desde el momento en que la inteligencia no tiene dimensión; asumirá, por tanto, una imagen que le viene suministrada desde el alma, obedeciendo a la causa eficiente, la cual, no icónica, posee «la huella de aquello que debe sobrevenir en la materia». Esta mediación recuerda muy bien lo que Kant llamará esquema: una dimensión sostenida entre lo visible e invisible, una señal en la que el tiempo se modula en el espacio haciéndose imagen.

De acuerdo con los neoplatónicos, Agustín (354-430) afirmará, en los *Soliloquios*, que existe un pensamiento inferior como *cogitatio imaginaria* o *cogitatio imaginationis*, pero que esto no revoca la posibilidad de un pensamiento, y además de una memoria, sin imágenes. Existen de hecho recuerdos ciegos, y no todo recuerdo resulta de la sensación. Tales recuerdos no icónicos reflejan las «imágenes eternas de la razón», y constituyen, por ejemplo, las verdades matemáticas. Análogamente, en el décimo libro de las *Confesiones*, los «tesoros de innumerables imágenes» de los que –como en las mnemotécnicas de Cicerón, Quintiliano y del anónimo de Erennis–, se compone la memoria, son sólo un grado propedeútico en el camino que lleva hacia Dios. Es en este sentido que (según el tratamiento del asunto ofrecido en el undécimo libro de *Sobre la Trinidad*), la imaginación media entre la sensación y la intuición intelectual, con un papel que no es puramente pasivo, precisamente porque no se trata solamente de memoria sensible. Al carácter productivo corresponde del mismo modo un explícito nexo entre imaginación y voluntad, que se conecta con la noción de la visión interna como capacidad de ver lo ausente, ya sea lo ausente algo recordado o inventado. Las consecuencias de esta espiritualización de la imaginación se manifiestan en la noción agustiniana de temporalidad, por la que, en el undécimo libro de las *Confesiones*, el tiempo será definido como *distensio* del alma, o sea como elaboración de la huella de lo continuo, de la imaginación sin imágenes que asegura la continuidad de la experiencia psíquica. Pero la imagen y el *logos* no son, al final, sino una característica del hombre externo, que se unifican, como lo visible y lo invisible, en el corazón. Es la visión propuesta en *Sobre la Trinidad* (XV, 10, 18): fuera, en el mundo externo, una cosa es la palabra, otra la visión, dentro, en cambio, en la interioridad de la conciencia, son uno. Quien hoy en día sostenga que pensar es confiarse a los únicos recursos del lenguaje, debería prestar la atención debida a este principio, y también hacer caso de una banal experiencia psicológica: ¿cuántas veces sucede que nos preguntamos, sobre una cosa pasada, si la habremos visto, o leído, o escuchado, o soñado? y... ¿nos acordamos siempre de en qué lengua hemos aprendido una cierta noción?

También en Proclo (entre el 410 y el 412-485: para Hegel es el último filósofo antiguo), la función mediadora de la imaginación parece sufrir el mismo vuelco de perspectiva respecto a Platón y a Aristóteles que hemos comprobado en Plotino y Agustín. La *phantasia*, en el comentario al *Cratilo*, es calificada como intelecto formante (*nous morphotikòs*) y, por su dimensión impura, resulta simbolizada por el bronce, y es valorada en su función de visualización de entidades noéticas, como, en particular, las formas geométricas. Así sucede también en el comentario a los *Elementos* de Euclides: a un nivel superior la idea del círculo o del triángulo es conocida por la razón (*dianoia*); a un nivel más bajo a través de la imagen (*phantasia*). La *phantasia* da forma y tamaño, piensa lo múltiple y no lo uno. No por esto se trata de una función puramente subordinada. Retomando la pregunta socrática sobre la dificultad de representarse el *eidos* del alma, Proclo desarrolla una noción llena de consecuencias para la reflexión moderna: el alma proyecta en la imaginación, como en un espejo, las ideas de las figuras; la imaginación las recibe como figuras, y contiene las improntas de las formas interiores; por eso ella permite al alma dirigirse hacia sí, como quien mirara en un espejo el mundo y en él se encontrara consigo mismo. ¿En qué sentido mirar el mundo significa mirar la propia alma? A esta tarea, la imaginación responde no ya procurando un rostro realista a la psique, sino mediante un camino más sutil: en las matemáticas, el alma toma de lo exterior un orden; ella ya no ve el mundo como extraño, sino reconduce hacia sí aquello que aparecía como distinto a ella. Las matemáticas son lo que reúne lo interno con lo externo, el alma y el mundo: era ya idea del *Teeteto*, según el cual la unidad, la identidad y la diferencia no son del mundo, sino del alma; será más tarde el sentido de la abismal sentencia de Pascal: «ce qui passe la géométrie nous surpasse»; a esto se añade que no poseemos ya sólo unos nombres, sino que sólo las formas, los números y los ritmos nos permiten proyectar lo interno en lo externo, y reconocer esto último, de cualquier modo, como nuestro. Es esa experiencia que en la *Crítica del Juicio* Kant representó en esa impresión que a veces nos sorprende: que el mundo nos dirige una sonrisa.

Técnica y mística

No es para sorprenderse el hecho de que Heidegger haya podido escribir que la imaginación es una facultad sin patria. En su extrema problematicidad gnoseológica y psicológica, ella asume, de hecho y al mismo tiempo, la función de parte discreta en un conjunto de facultades, y la de título común bajo el que éstas se sitúan. La pasión taxonómica del Medioevo testifica en grado máximo esta perplejidad. Si por un lado, en el siglo XII, Hugo de San Víctor, modificando a Boecio, distingue, refiriéndose al ámbito de las funciones realistas, la esfera de la *sensificatio* (los cinco sentidos externos) de la esfera del sentido interno, compuesto de *imaginatio, memoria* e *providentia* (la anticipación del futuro sobre la base de la experiencia pasada, de la que se hablará con mayor profundidad más adelante), Pedro Hispano, por su parte, subdivide, ya en el siglo XIII, la función general de la fantasia en *visio, sensus communis, imaginatio* (alma sensitiva, retención), *phantasia* (composición y descomposición), *cogitativa* (alma racional, especulación). Detrás de esta nomenclatura, que se podría detallar hasta el infinito, opera el estatuto singular de la *chora* platónica, el estatuto del tercero que, por una parte, está entre padre e hijo del mismo modo que está entre intelecto y sensación, y por otra excede a los dos: en este juego de sustituciones, la imaginación es, como en la oximorónica oración de San Bernardo en la *Comedia*, «hija de su hijo», y (recíprocamente) madre de lo sensible e inteligible.

La diligencia en la clasificación es síntoma de la circunstancia por la que las divisiones del alma son también órdenes de la realidad y del significado. En lo que se refiere al plano ontológico, Isaac de Stella, en el siglo XII, propone una correspondencia entre zonas ontológicas y funciones psicológicas, por la cual a la tierra corresponde la sensibilidad y el cuerpo, al agua la imaginación y las similitudes, al aire la razón y las dimensiones, a lo etéreo el *intellectus (logos)* y el espíritu, y al firmamento la *intelligentia (nous)* y el sumo bien. Así sucede también, poco después, en Doménico Gundisalvi, mientras, por su parte, Goffredo de San Hilario unifica *intellectus* e *intelligentia* y pone como cuarto elemento al fuego. También en este caso el Medioevo pretende sacar partido de un antiguo patrimonio. Ya Orígenes (185 ca.-253 ca.), en el cuarto libro de *Perì archon*, había propuesto una tricotomía sentido-imaginación-intelecto que correspondía a una tripartición del sentido de lo escrito: somático (literal, histórico-gramatical), psíquico (moral), pneumático (alegórico-místico, que en Orígenes toma también el nombre específico de *anagoghè*). Llevar la imagen a su sentido espiritual es dirigirse a lo puramente inteligible, así como la interpretación moral es pasar de la sensibilidad a la imaginación.

Recíprocamente, la necesidad de la imagen deriva de la finitud humana. Tomás de Aquino (1221-1274), en la *Suma Teológica* (I, *quaestio* 84, artículo VII), se mantiene firme en la caracterización psicológica por la que el alma no intenta nada «sine phantasmate» (esto es *oudepote noei aneu phantasmatos he psychè, Acerca del alma* 431a16-17), ya que el intelecto humano, en esta vida presente, está mezclado con el cuerpo. El argumento de autoridad es avalado por dos síntomas, uno fisiológico y el otro psicológico. De una parte, si el intelecto no se valiera de órganos corpóreos, no resultaría inhibido a causa de eventuales lesiones de tales órganos (éste es ya un tema aristotélico, que volverá con el Libertinismo del siglo XVII, que hace decir a Cyrano de Bergerac que si tuviéramos zuecos en vez de manos conoceríamos muchas menos cosas). Por otra parte, todos vemos que, para comprender cualquier cosa, hace falta formarse un fantasma cualquiera, a modo de ejemplo, y que lo mismo sucede cuando queremos hacer entender algo a los demás. Nosotros comprendemos a través de las imágenes. A esto se añade que tenemos necesidad de las imágenes para comprender, pero del mismo modo debe precisarse que la posibilidad de formar una imagen es también signo de un conocimiento conseguido: he comprendido el teorema de Pitágoras cuando estoy en disposición de ilustrarlo a través de un ejemplo. Este es el motivo por el que el Ejemplarismo, según un significado que volverá a aparecer también en autores modernos (Comenius, Lessing, Garve) no es sólo una doctrina de la ilustración pedagógica, de tipo dogmático, sino también un instrumento de investigación. Esto se ve cuando, replicando a quien negara el papel de la imagen en el pensamiento, Tomás responde a una primera objeción (el intelecto puede comprender a través de las especies inteligibles, sin necesidad de fantasmas) que el juicio es ciertamente inteligible, pero no subsiste sin la referencia a algo en acto, a un caso particular que puede valer también como ejemplo. La respuesta a una segunda objeción (la imagen depende de los sentidos más de lo que el intelecto depende de la imaginación, y si ya la imaginación puede pensar el sentido sin lo sensible, con mayor razón el intelecto puede pensar sin imágenes) saca, al contrario, partido de la circunstancia por la que el mismo *aisthema* es idealización: si ya la sensación es un fantasma, el intelecto tiene más necesidad de imaginación de lo que la imaginación necesita de los sentidos. El punto es sutil: en el fondo, la imaginación no es una función añadida a la sensación, ya que la *aisthesis* tiene un carácter fantasmático; es más bien el intelecto el que está fijado al fantasma, precisamente porque el juicio necesita del ejemplo. Respondiendo a una tercera objeción (no hay fantasmas de cosas incorpóreas, ya que la imagen no trasciende jamás lo sensible, mientras que nosotros gozamos de la comprensión de cosas inteligibles, como de Dios, de los ángeles y de las verdades eternas), Tomás se apoya en Dionisio, y observa que para éste conocemos a Dios mediante la causa (yendo de los efectos a las causas), la eminencia (de lo contingente a lo necesario) y la negación (exclusión de lo empírico). Se trata entonces de un movimiento de trascendencia de lo factual, precisamente como, para Aristóteles, conocemos lo curvo pensando en una nariz chata pero prescindiendo de la carne. Un transcender tal, que encuentra en lo empírico su apoyo negativo, vale no sólo para Dios, sino para cualquier otra cosa inteligible, en el que se conoce lo inteligible por negación (o sea, por abstracción) o por alguna comparación –esto es, analogía– con las cosas corpóreas.

Veremos como estos argumentos son reactivados por el Empirismo, a propósito de la cuestión de la abstracción y de las ideas generales. Se comprende entonces que por tal motivo la descripción de los actos de imaginación, en sus relaciones con los sentidos externos, con el sentido común y con la memoria, constituya también una completa fenomenología del espíritu, así como una gnoseología fundamental. Roger Bacon (1214-1292), en las *quaestiones* sobre el IV libro de la *Física* aristotélica, ofrece la descripción siguiente: el sentido particular aprehende la *species* (que no es sino la traducción latina de *eidos*); purificada, la especie va a la fantasía, y de aquí al intelecto efectivo que, realizando una abstracción desde las circunstancias materiales, la transfiere al intelecto potencial. La cuestión gnoseológica se entrelaza con, y se refleja en, las discusiones propias de la fisiología cerebral (que en nuestros días están lejos de estar resueltas) sobre la ubicación somática de las funciones psíquicas. En términos muy generales, y en el cuadro de un consabido desacuerdo entre médicos y filósofos (los primeros están más atentos a diferenciar entre las funciones corpóreas del *sensus communis* y las de la *imaginatio*, y los segundos se inclinan a disminuir la dicotomía –más espiritual– entre *imaginatio* y *phantasia*), se puede decir que la retención sensible está situada en la parte anterior del cerebro, la reelaboración análoga a la razón en la mediana, y el almacenamiento mnéstico en la posterior. Sobre este último punto hay un consenso total, así como amplio es también el acuerdo en torno al lugar de la función retentiva, en la parte anterior. No hay en cambio que sorprenderse si alguna duda (no sólo léxica) entre *phantasia, imaginatio, sensus communis* afecta a la ubicación de la facultad mediana, que en cierto modo es la esencia de la imaginación. Es a causa de esta separación casi evanescente por lo que Bartolomé Anglico puede situar en la parte mediana juicio y razón, lugar donde, en cambio, Teodorico de Chartres, por ejemplo, pone la *imaginatio*, y

Domenico Gundisalvi, al tiempo que diferencia, sitúa la *imaginatio* en las bestias y la *cogitatio* en los hombres.

El análogo de la razón

El *Acerca del alma* del médico y filósofo Avicena (980-1037) ofrece una acabada fenomenología del paso de la sensibilidad al intelecto en el acto de conocer: la imaginación (como *imaginatio conservatrix*, en árabe *khaial*), localizada en la extremidad del ventrículo anterior del cerebro, inmediatamente después del *sensus communis*, y que sería una facultad formativa que abstrae las formas, o sea, que conserva la *species*, el *eidos*, sin la *hyle*. Esta operación puede ser leída como la expresión de la norma escolástica por la que no hay nada en el intelecto que no estuviera antes en los sentidos. Pero, en una cierta medida (y confirmando la hipótesis no expresa de la imaginación como fuente común de sensibilidad e intelecto), vale también la dirección recíproca: la imaginación interviene en la percepción y la hace posible. Eso sucede porque, como podrá encontrase en Kant, la retención es constitutiva de la percepción: privados de memoria, los sentidos externos no tienen la experiencia de lo continuo; sin la posibilidad de retener unos puntos, no tendríamos líneas, sin el recuerdo de las circunstancias precedentes no seríamos capaces de reconocer ningún acontecimiento. La simple percepción de una gota de lluvia, en su movimiento, es por tanto más que mera percepción, se requiere la intervención activa de una memoria que defina su identidad y registre su progresión. Inversamente, la atención es siempre más que una función acéfala: es justamente aquello desde lo que la retención se pone en movimiento. En el tercer lugar, que Avicena sitúa en la cavidad central del cerebro, se encontrarían la imaginativa (en los animales) y la cogitativa (en los hombres, colocada bajo el dominio de la razón). Las formas, que la imaginación ha considerado como idealidad, son asociadas y disociadas. Es ésta la función que hemos visto prevalecer en la *phantasia* como descomposición y reasociación de *figmenta*, y que volverá a emerger en la *Dichkraft* o en la *facultas fingendi* de la *Schulphilopsophie* del siglo XVIII. Se puede también decir que se trata de una relación entre lo reproductivo (la simple retención de la forma) y lo productivo (su libre asociación); pero es también evidente cómo entre reproducción y producción se modula un desarrollo continuo. Continua es del mismo modo la relación entre imaginación y razón: la diferencia entre la imaginativa de los animales y la cogitativa de los hombres es la diferencia entre la razón y su análogo, según aquel característico redoblamiento de facultad que se registra ya en la psicología aristotélica. En el cuarto lugar de Avicena viene la estimativa (*vis aestimationis*), que se refiere a aquello que, en los sensibles particulares, trasciende la sensibilidad: todo percepto, de hecho, no presenta sólo una forma sin materia, sino también, y con el mismo gesto, un sentido. Se trata de la maravillosa duplicidad de la palabra «sentido», que se refiere conjuntamente a la presencia estética y al significado lógico, en la que, con toda justicia, se entretendrá Hegel. La estimativa no valora la sensación por sí misma, sino por su significado; el percepto no es únicamente él mismo, sino que también es otro (por ejemplo, un perro no es sólo un perro, sino un *ejemplo* de perro). Con la estimativa uno se acerca a lo que se podría llamar espíritu. De una parte, ella se acerca al problema aristotélico y plotiniano de si se puede tener memoria también de los inteligibles, ya que una intención o un valor sobrepasan la pura dimensión sensible. Por otra parte, operando también en los animales, ella misma lleva a cabo precisamente la función de un análogo a la razón, para todo ser vivo que esté preparado para conservar la memoria de un percepto. La estimativa guía, de hecho, el razonamiento práctico: la oveja huye del lobo y acude al cordero, según un juicio incoactivo que opera por asociación de imágenes sensibles o insensibles (lobo-temor, cordero-piedad) usando criterios ya de experiencia ya innatos. Esta facultad suprema del juicio por parte del animal, el juicio sensible ejercitado por la estimativa, se llama, en árabe, *wahm*. Es la misma concepción por la que la imagen es causa de acción e instrumento de juicio, y que Aristóteles había tratado en *De motu animalium*. Respecto a Aristóteles, no obstante, Avicena realiza un ulterior desdoblamiento, por el que la imagen como tal no produce ni placer ni pena, y el juicio de placer y de disgusto es una operación conjuntamente unida (temporalmente) y separada (gnoseológica y ontológicamente) por la percepción, de modo que el *wahm* es un operador subsidiario de la imaginación. La quinta y última facultad de Avicena, situada en la cavidad posterior del cerebro, es la *vis memorialis et reminiscibilis*, que, conforme a la lógica del desdoblamiento hasta ahora descrita, repite la distinción entre *mneme* (*vis memorialis*, memoria de las cosas sensibles) y *anamnesis* (*vis reminiscibilis, recordatio,* memoria de las intenciones no sensibles de la estimativa).

Un tratamiento de la cuestión similar al anterior es normal. El misterio permanece siempre en aquello por lo que la abstracción opera ya al nivel de la percepción. Por ello resulta significativo el papel del *sensus* communis, que asegura el paso de los sentidos externos a los internos, desempeña en el *De anima* de Alberto Magno (muerto en 1280), maestro de Tomás de Aquino. En síntesis: el sentido común unifica los fantasmas de las sensaciones, la imaginación retiene la forma así sintetizada, la estimativa retiene la intención, la *phantasia* divide y compone. A todos estos niveles opera la abstracción, o sea la retención, a cada paso más compleja, de un modo tal que, separada de su origen material, y después también de su concatenación factual, da vida a una reasociación de fantasmas que culmina en la *cogitatio phan-*

tastica, es decir, precisamente en el acto de dividir y unir propio de la *phantasia*. Esta última es la facultad de componer imágenes con intenciones, intenciones con imágenes, intenciones con intenciones. Ella es entonces síntesis de lo sensible con lo inteligible, y de la extensión con el pensamiento, donde sin embargo el lugar de la síntesis es lo sensible. Por esto *phantasia est aliquid rationis*, escribe Alberto Magno refiriéndose a la tradición precedente. Dado que el *sensus communis*, y aún el simple sentido, tiene un valor sintético e idealizante, con mayor motivo parece difícil separar la *phantasia*, que además es libremente asociativa, del pensamiento. También aquí, por tanto, se vuelve a proponer el problema de cómo se puede distinguir la razón de su análogo, desde el momento que en ambos casos se opera al nivel de la idealización.

La huella del futuro

Retener el pasado es como razonar, y razonar es anticipar el futuro. De ordinario se pone el ejemplo de las previsiones del tiempo, pero así funciona también la profecía. La *communis opinio* ya recibida de Aristóteles en el tratado sobre la adivinación en los sueños pretende que, cuando se duerme, la ausencia de estímulos conduzca a una resurrección de huellas mnésticas lejanas y cercanas que, recomponiéndose, ofrecen con sibilina claridad anticipaciones sobre nuestro destino.

Esta circunstancia asume un valor crucial allí donde la profecía no se liga sólo al destino de un particular, sino al de un pueblo que ha tenido en el sueño, y en su interpretación, desde Moisés a Freud (que se identificó con el patriarca hebreo, además de con otro héroe semítico, Aníbal), el testimonio de la unión misma con Dios. En el léxico hebreo de los siglos XIII-XIV se distinguen la *vis imaginativa (ha-Kòah ha-medamèh),* la *imaginatio (dimaiòn)* y la *imago (dimùi)*: por una parte, la humanidad caída vuelve la espalda a las verdades abstractas para seguir las imágenes (y por eso la imaginación puede ser satánica). Por otra parte, la imagen es también el camino para hacer que la misma humanidad retorne, en un proceso inverso, a la verdad. Abrahàm Abulafia, un cabalista activo en Italia en torno a 1270, propone un anagrama trilingüe sobre la base de las letras del alfabeto hebreo que componen la palabra *dimaiòn*: *medìon* (medio entre los sentidos y las ideas abstractas), *deimòn* (demoniaco), me*dinì* (instrumento para la actividad práctica y política). Así, en Jehudàh Romano, activo en Roma entre 1310 y 1325, se observa una función esquemática (en sentido de ningún modo genérico) de la imaginación, que transforma los conceptos en imágenes. La imagen, haciéndose símbolo, sintetiza de modo más pleno el concepto abstracto.

El más grande hermeneuta del nexo entre imaginación y profecía es Maimonides (1135-1204). En su obra más influyente, la *Guia de los perplejos*, distingue entre las representaciones intelectuales (*siiurìm sikhlììm*) y las imaginarias (*siiurìm dimoniìm*). La imaginación es retención y combinación, pasado que se dirige al futuro y materia que se predispone para el espíritu; y la profecía no hace sino exaltar estas disposiciones de la naturaleza. No se podría ilustrar mejor la circunstancia por la que una capacidad productiva que proviene de la retención no está necesariamente dedicada a la mera repetición. En la profecía, de hecho, la huella del pasado tiende hacia el futuro, y Maimónides recoge perfectamente esta característica. La imaginación es pasiva en dos direcciones: lleva lo material al intelecto, y transforma las abstracciones del intelecto en imágenes; pero precisamente en este doble oficio lleva a cabo la perfecta función del profeta, en la que la retención del pasado se transforma en anticipación.

Es en este sentido que Mendelsohn, en los *Principios fundamentales de las Bellas Artes* (1757), podrá sostener que, cuando observamos un cuadro con atención, la imaginación adivina desde el presente el pasado, y prevé con alguna plausibilidad el futuro. Así en la *Resurrección* de Manzoni: «Cuando quedó absorto en su pensamiento/ leyó los días numerados/ y de los años aún no nacidos/ Daniel se acordó». Daniel profetiza porque recuerda: sin embargo, no se trata de una experiencia fuera de lo común. Por ejemplo, uno puede preguntarse por qué de mañana sucede que nos despertamos una fracción de tiempo antes de que suene el despertador. Se trata obviamente de una acción del recuerdo, de una huella inscrita en un reloj interno que a su vez no es sino un cúmulo de huellas. Pero entonces el recuerdo no es sólo retención, y se hace, más radicalmente, condición positiva de la constitución de la temporalidad, que a través de la sedimentación del pasado procura la prospección del futuro. Es la profunda visión de Leibniz, según la cual pasado y futuro no son sino modos solamente válidos a los ojos de los hombres, y no de Dios; quien supiera mirar verdaderamente en una mónada, leería en ella no sólo su origen, sino también el destino (que es, por otra parte, eso que cada uno de nosotros espera, sin ir más lejos, del ojo clínico de un médico).

II

Del humanismo al barroco

«*Domus phantasiae*»

La casa de la fantasía del *Baldus* es oximorónica, llena de un silencio estrepitoso y de un movimiento inmóvil, de una norma sin regla; vuelan fantasmas y sueños, pensamientos sin razón, apariencias. Es el mundo de El Bosco, o sea «la jaula de locos que se picotean la cabeza y cazan moscas en el aire». Fantasía y locura, en efecto, son inmanentes a la razón; Folengo, al que Brucker contará entre los peripatéticos de Padua, incluye en la *cage aux folles* «las mil chanzas de Paolo Veneto y de Pietro Hispano». Mientras tanto, el Centauro «atrapa con las manos los sueños de Alberto Magno porque quiere hacerse útil para todos, conocer el futuro, y sacarles el cerebro a las cornejas; quiere coger peces con la mano y abrir las cerraduras sin llave». La loa a la fantasía resulta ser, por tanto, lo mismo que el elogio de la locura, y la casa folenguiana es otra versión de la *stultifera navis* de Erasmo. Sin embargo, si de esa fantasía más que fantástica llegamos hasta la imaginación, nos damos cuenta de cómo aquello mismo que en la bizarra asociación de los fantasmas es norma de locura, constituye, gracias a su retención ordenada, una regla para la verdad.

En Marsilio Ficino (1433-1499) el alma, sede de la imaginación, contiene las *formulae* de todos los conceptos, que simplemente vuelven a ser despertados (a la manera de la anámnesis) por cada encuentro con el individual. La imaginación no es sólo la representación de la cosa, es más bien su *nota*, o sea, en sentido preciso, una especie de letra o jeroglífico, que no manifiesta sólo lo externo, sino también lo interno. El universo estaría de hecho compuesto de cartas fenicias, egipcias y asirias, que el sabio conseguiría leer, así como (*De vita*, 1489, III, XIX-XX) el cosmos sería una figura a la que, en las prácticas mágicas, se la recompondría a través de la imaginación, sumergiéndose en el espíritu del mundo y en las radiaciones astrales. Giordano Bruno (1548-1600) une las reflexiones sobre la memoria elaboradas por los dominicos, bajo la guía de Tomás de Aquino, con las artes mnemónicas de Ramón Llull, que son de origen franciscano. En el *Cantus circaesu* (1582), hace referencia al *Ad Herenium*, y constata que los *loci* son situados en palacios, sobre columnas, esquinas y puntos similares, y no deben hallarse ni muy alejados ni extraordinariamente cercanos entre sí, ni ser demasiado iguales. No estamos tratando sólo de cuestiones técnicas, sino del saber en sentido auténtico. El *De umbris idearum* se abre con Hermes, que habla de las sombras de las ideas como de una escritura interna («De umbris idearum ad internam scripturam contractis liber est»), a las que Filotimo considera, por su parte, como un secreto egipcio, y a las que el pedante Logifer desprecia. Del mismo modo, el *Ars memoriae* bruniano se coloca directamente bajo el signo de las sombras de las ideas, con una adhesión hiperbólica al proyecto mnemónico que, aún subvirtiendo el juicio platónico, revela al mismo tiempo sus condiciones de fondo. En 1584, como recuerda Yates, el **ramista** Alexander Dicson se burlará, con el *De umbra rationis*, de las fantasías herméticas del *De umbris* bruniano, del mismo modo que Kant considerará las investigaciones sobre **lo característico** al mismo nivel que las indagaciones sobre la piedra filosofal. No obstante, la atracción ejercida por el jeroglífico no es cuestión, en principio, de un simple prurito ocultista por lo irreal. Aquí encontramos sedimentada, más bien, una tradición tan antigua como los mismos griegos. La hipótesis del ocultismo y la memoria egipcia se ve abordada ya por la anécdota de Solón y de los sacerdotes de Sais en el *Timeo*, y está presente, en el plano de la historiografía, en Herodoto, para quien ningún pueblo habría conservado tantos recuerdos como los egipcios. La misma hipótesis se convierte en un *topos* florido, tanto en Plutarco como en Ecateo de Abdera, y se encuentra incluso en la *Vita Pitagorae* de Porfirio y en los *Stromata* de Clemente Alejandrino. Este romanticismo egipciano puede hacernos reflexionar. Si el saber hermético y jeroglífico atrajo en su tiempo de tal modo a los griegos, es porque en ello no encontraban en absoluto una total alteridad, sino más bien la otra cara de aquello mismo que estaba en el corazón de su reflexión: la relación entre sensible e inteligible, el nexo entre realidad e idea, su conocimiento.

Para Tomás Campanella (1568-1639), el alma dotada de sentido y memoria es la misma que el alma imaginativa y discursiva: aquellos que imaginan muchas cosas tantas otras sienten y tienen en mente; aquí imaginar significa proceder por asociación de ideas, y es en este contexto donde se hace referencia específica a Platón, o sea al *Teeteto (El sentido de las cosas y de la magia* II, XXI). La imaginación es, por consiguiente, arte de la recomposición: se piensa en un castillo en el aire y en un hombre de cien cabezas porque se han visto un castillo y un hombre, y desde ahí se ha procedido por vía recompositiva, mediante una praxis facilitada por esa misma circunstancia por la que, contra Aristóteles, el sentido no es sólo pasividad, sino también lo que, de modo leibniziano, se podría llamar apercepción, o sea, una forma primaria de autoconsciencia.

Es en este horizonte donde se inscribe el perdurable interés por las operaciones de la imaginación en el orden fisiológico. Desde Aristóteles a Galeno, desde Avicena a Marsilio Ficino y Gianfrancesco Pico, y desde ellos a Pomponazzi, Pedro Mexía, Montaigne y Malebranche, este valor de la imaginación queda como un punto de referencia retomado, pero no inventado, por el Renacimiento. Pasado el tiempo, encontraremos del mismo la más bella consagración literaria, la del *Enfermo imaginario* de Molière, quien, en la cuarta representación (17 de febrero de 1673), vomita sangre sobre el escenario y muere pocas horas después (así como, doscientos años después, un espasmo de angustia ahogará a Mallarmé mientras cuenta al médico un inofensivo espasmo que le afectó la tarde anterior). Pero si la naturaleza puede hacerse impresionar por la imaginación, entonces, para Pomponazzi (*De incantationibus* IV, 53-54), la posibilidad de reconducir la imaginación a causas naturales nos curaría de la fascinación que podríamos sentir por los milagros –esto le valió la ingrata fama de maestro de ateísmo. Mesmer, que teoriza en el siglo XVIII sobre la sugestión y el magnetismo animal, no es, por tanto, sólo el antecesor de Freud, sino sobre todo el heredero de aquella tradición; incluso Burton (1577-1640), estudioso de la melancolía, recapitula una *episteme* que se remonta a Teofrasto (autor de un *De phantasia*, del que queda una adaptación libre de Prisciano) y a Aristóteles; del mismo modo que perfecta e inconscientemente aristotélica resultaría la hipótesis de Breuer y Freud en sus *Estudios sobre la histeria*, para quienes no son sino reminiscencias aquello de lo que sufre la paciente histérica.

Lobos ahorcados y leones crucificados

Para significar que con el Renacimiento la imaginación se especializa en el arte, se cita normalmente el dicho de Bacon «Historia ad Memoriam refertur, Poësis ad Phantasiam, Philosophia ad Rationem». Bacon está, sin embargo, hablando de la fantasía como podría hacerlo un escolástico, y el ámbito de facultades retentivas que se agrupan bajo el título de «imaginación» no tiene propiamente especificaciones artísticas, sino más bien estéticas, lo cual es una cosa totalmente diferente. En el *Examen de ingenios para las ciencias* (1575), de Huarte de San Juan (1529-1591), la partición filosofía-razón, historia-memoria, poesía-fantasía, que Croce señalará como una anticipación de la tesis de Bacon, no es vista ni como un elogio de la imaginación productiva ni como una caracterización meramente «artística». Para Huarte las ciencias lo son o del intelecto (teología), o de la memoria (jurisprudencia) o de la imaginación (política). La división alude sólo al relativo prevalecer de una facultad sobre otra, puesto que la facultad imaginativa (justo como en el esquematismo kantiano y, **a causa** de este ámbito específico, en la peculiaridad del juicio de la *Critica de la razón práctica*) es el juicio sensible que consiente el paso de lo universal a lo particular: la razón estudiará a Dios, el cuerpo humano, o el social; por su parte la imaginación gobernará, más bien, las consecuencias de aplicación de estos saberes. Es en este sentido en el que, irónicamente, Cervantes califica como «ingenioso hidalgo» a un loco como don Quijote.

De este modo la imaginación penetra por tanto en la teoría del juicio, en la que los ejemplos y las figuraciones sensibles valen a modo de **tópica**. Precisamente por eso Bacon, como el joven Descartes y muchos de la misma edad, elabora una lógica que incluirá *inventio, iudicium, elocutio*, o sea una lógica que incorpora elementos retóricos y sensibles en el arte del razonamiento. Esta extensión de la lógica, convertida ahora en arte del descubrimiento y no sólo instrumento de la verificación, será criticada por Kant en el prefacio a la segunda edición de la *Critica de la razón pura*, que estigmatiza en particular la inserción de capítulos psicológicos acerca de la imaginación o el ingenio. Cuando Kant realiza esta condena, lo hace con la intención consciente de censurar una tendencia que se habría propagado al menos desde Ramo (cuya *Dialéctica* data de 1555) en adelante. De lo anterior se deriva que, si se observa el paso del Renacimiento al Manierismo, y de ahí, con marcha triunfal, se saluda al Modernismo siempre sinónimo de progreso, como apoteosis de la imaginación en un arte que vuelve la espalda a la imitación, se cometen al menos dos errores. El primero es el de postular que entre mímesis e imaginación existe una dicotomía, lo cual tiene una cierta verosimilitud sólo cuando se asuma una nada sutil distinción entre lo mimético, que fotografía una manzana y una mandolina, y lo fantástico, que los transforma de modo aberrante; pero la manzana de la naturaleza muerta no es la de la naturaleza viva más de lo que la cama del pintor es la del artesano, y también la extravagancia perfecta habrá traído sus materiales de los sentidos, **precisamente** porque es en los sentidos donde se ejercita. El segundo error es menos aparente, ya que es más histórico que lógico: precisamente los siglos que, según una concepción tradicional (y no sólo crociana), confirmarían las bodas entre la imaginación y el sistema de la artes, son en cambio aquellos que asisten a la recuperación de la fantasía, mediante la retorización y psicologización, en el marco de una lógica que pretende ser no sólo canon del razonamiento, sino también órgano del saber, o sea, capaz de descubrir lo nuevo y no sólo de descomponer lo conocido. En la *Medicina mentis* (1686) del cartesiano y espinoziano Tschirnhaus, como en el germen de la «Doctrina de la razón» y de «Caminos hacia la verdad» (o sea, de lógicas y psicologías de la invención) promovidas por el Iluminismo alemán y encarnadas ejemplarmente en Thomasius, se encuentra sistemáticamente la asunción por la lógica de la imaginación, del ingenio, de la sutileza, etc. También para

Wolff, el gran adversario de Thomasius, el *Witz* es necesario para la invención lógica: y, en definitiva, Vico seguramente se romperá los codos a causa de la áspera y continua reflexión, pero no a propósito del nexo entre lógica e imaginación. Entonces, en vez de reprochar a Baumgarten por su intelectualismo (o sea por no haber practicado una estética de las obras, lo cual se volvería algo historiográficamente cómodo), haría falta esforzarse en comprender lo que aquél tenía en mente cuando definía la estética como la hermana menor de la lógica.

Dado que los modernos no asignan la imaginación al arte, la cuestión se convierte más bien en saber lo típicamente moderna que es la inserción de elementos sensibles en el razonamiento. En el fondo, los *Analíticos posteriores*, que tratan también del razonamiento animal, forman parte del *Organon* aristotélico, del mismo modo en que forma parte el *Sobre la interpretación*, donde estética y lógica están estrechamente unidas en el análisis de la expresión. Es en este contexto donde se explica la dilatada tematización desde el Renacimiento a Descartes y luego, aunque de otra manera, hasta los umbrales del siglo XIX, del razonamiento animal, o sea, justamente, de aquella forma de silogismo sensible que presenta unas actitudes miméticas análogas a la razón. Al motivo aristotélico y avicenista se unirá un renacer del escepticismo, y también la insistencia de Bruno, Telesio y Campanella sobre la pluralidad de los mundos, todavía poderosa en el Libertinismo francés del siglo XVII.

Héroe epónimo de estos aconteceres es Gerolamo Rorario (1485-1556), natural de Pordenone, cuya obra *Quod animalia bruta saepe ratione utantur melius homine* fue reimpresa en el siglo XVII por el libertino Naudé y, a través de la mediación de la voz que Bayle le dedicó en su *Dictionnaire*, llegó a recibir los honores de la *Théodicée* de Leibniz. Los animales pueden ser preferibles a una humanidad degenerada, que es aquella de la que Rorario tuvo experiencia como enviado pontificio en varias cortes europeas, y testimonio directo en las luchas internas de la curia romana. Es obvio que la consideración tiene un sabor moralista; pero si Rorario puede proponer la confrontación, es justamente por la fuerza de una tradición ininterrumpida que, reconociendo en la huella de la sensación una proforma de la racionalidad, ha hecho plausible un discurso sobre la razón y sobre el alma de las bestias. Si además –conforme al sentir, tanto de esta época como de cualquier otra–, la razón debe servir a los objetivos de la vida, entonces la destreza de, por ejemplo, abejas y castores, resulta difícilmente diferenciable del hacer humano. Tanto más cuando, según un argumento que se encontrará en Montaigne y después en Rousseau, el hombre se caracteriza ciertamente por el dominio sobre los instintos, pero la base irreflexiva común a los hombres y a los animales será el fundamento de aquellos impulsos morales que, como la piedad o la templanza, el hombre pretende atribuirse de modo exclusivo. Así Bayle vuelve a presentar, discutiendo a Rorario, aquel *topos* de la *expectatio casuum similium* que constituye el caso de un perro que huye a la vista del bastón (*Diccionario*, voz *Rorarius*), que implica no sólo un alma dotada de percepción, sino reflexión, reminiscencia y comparación de las ideas con el fin de llegar a una conclusión. El argumento es antiguo, oscilando esta idea del análogo de la razón entre la mímesis y la metexis. Para la primera hipótesis, las bestias no presentan sino una imitación falsa de la razón y de la moral; éste es el camino seguido por Cicerón y antes de él por los estoicos: el perro no ama al dueño, el lobo no odia al cordero, y la aparente pasión que les inflama no es sino una pulsión mecánica. Pero, refutando a los estoicos sobre este punto, el Plutarco de *De solertia animalium* se decanta por la metexis. Aunque se quiera sostener la ilimitada casuística de animales concienzudos y responsables como los elefantes, los papagayos y los mirlos, castos como las tórtolas y amigables como los delfines, si los hombres castigan a los animales que se equivocan, y si no es infrecuente el siniestro y conmovedor espectáculo de la locura de un perro, hace falta concluir de ello que tiene que ver verdaderamente con la razón. Puede ser humillante reconocer que también los elefantes tienen un sentido religioso, pero, a pesar del aspecto darwiniano de estas observaciones, Rorario dice haber visto con sus propios ojos unos lobos ahorcados por acobardar a los demás, y haber oído que, por los mismos motivos, en Africa se crucifica a los leones.

En este mismo cuadro se inscribe Montaigne (1533-1592), sobre el que Bayle ironiza escribiendo que su apología de Raymond Sebond es, más que otra cosa, una apología de los animales. Los hombres sufren más que las bestias porque tienen más imaginación, pero se trata de una diferencia cuantitativa, y la imaginación es ya pensamiento, porque de efectos análogos se necesita retroceder a causas afines (de hecho decimos sin dificultad «estoy hecho un perro»). En los *Ensayos*, Montaigne propone otro tópico ejemplo junto al del perro golpeado, la anécdota de la zorra que es usada por los tracios para pasar un río helado. La zorra pega la oreja al hielo: si siente la cercanía del agua concluye, silogísticamente, que la capa de hielo es demasiado fina, y que no nos podemos confiar. Un silogismo análogo guía al perro del que dice Crisipo que, buscando a su amo, cuando llega a una trifurcación, descarta dos hipótesis y sigue la tercera. Malebranche criticará a Montaigne, incluyéndolo, junto a Tertuliano y a Séneca, en un tríptico de fantásticos desmedidos. El reproche moralista (por otra parte totalmente coherente con el de Pascal, por el que Montaigne tendría un sentimiento jocoso de la muerte, y una especie de complacencia morbosa al representársela) es en general injusto, ya que la imagen de la muerte no sirve para excitar una alegría maníaca, sino más bien para conservar el recuerdo de quien nos ha precedido (así, el completo proyecto de los *Ensayos* nace del deseo de recordar a su amigo Etienne de la Boétie, precozmente desaparecido) y para prepararnos, a través de esta visión, para nuestra propia muerte. En esta ascesis, que valora la excelencia cuantitativa de la imaginación humana sobre la animal, la razón no es ya instrumental, ya no sirve a las necesidades de la vida, sino que más bien lleva, en vida, la muerte de la cual marca sus límites. Filosofar es aprender a morir, e imaginarse peligros mortales es propedeútica para una buena muerte y una vida filosófica.

La ambigüedad del «lumen natural»

Frente a Tasso, Montaigne podía aún preguntarse si la locura no estaría en todo pensamiento, y no sólo en la mente del poeta alienado; no como Descartes (1596-1650), para quien ya sería de locos el mero creer estarlo. La actitud cartesiana respecto a la imaginación aparece ilustrada programáticamente en el dicho «differentia inter immaginationem et intellectionem clare ostendit». En la sexta de las *Meditaciones* (1641), la imaginación es considerada como completamente distinta del intelecto: estéticamente, al nivel de la percepción y de la representación, yo no puedo encontrar una diferencia sustancial entre un kiliágono y un miliágono, pero la diferencia conceptual es enorme, y el intelecto me la enseña. Inversamente, lo que puedo representarme, como los colores, los sonidos, los sabores o el dolor, son característicamente los objetos de un conocimiento que no es en absoluto diferente del conocimiento intelectual. Por tanto la certeza me viene en primer lugar de Dios, que respalda el intelecto, y sólo subordinadamente me llegaría de los sentidos y de la imaginación. Inversamente (*Discurso del método*, 1637, AT. VI, 37), si también la imagen puede servir de ilustración, hay que tener presente que aquellos que están tan habituados a pensar con las imágenes (a usar la imaginación, que es un modo particular de pensar que sustituye a las cosas materiales), concluyen que lo que no es imaginable no es inteligible. Pero el alma y Dios no han sido nunca objeto de los sentidos, y quien los deseara comprender con la imaginación sería como si quisiera usar los ojos para percibir los sonidos o los olores.

La imaginación está conectada con la memoria, y, en coherencia con el principio arriba expuesto, Descartes se convierte, al menos de modo tendencial, en un crítico de los conocimientos históricos, preparando así un divorcio entre filosofía y memoria característico, por otra parte, del pensamiento moderno. Adrien Baillet, en la *Vie de monsieur Des-Cartes* (1691), enumera entre los honores de Descartes el hecho de que fuera muy poco aficionado a la lectura. Los motivos de este singular orgullo pueden encontrarse, por ejemplo, en una carta a Hogelande de febrero de 1640: hay dos modos de conocimiento, la historia y la ciencia. Con el primero se aprende todo lo que ya ha sido encontrado, y que está contenido en los libros; con el segundo, la pericia a la hora de resolver cuestiones nuevas. Ahora bien, precisamente en esta segunda actividad consiste la autarquía del hombre. Los libros ciertamente sirven, pero sólo para conservar nociones que no se pueden almacenar enteramente en la memoria (del mismo modo que en el *Fedro* se aconseja a los viejos la escritura). Pero, según un argumento ya vigente en Bacon, el límite fundamental del saber libresco se encuentra en la acumulación, en el hecho de que en una biblioteca se contengan, desparramados y sin orden ninguno, aquellas nociones que, en beneficio de la utilidad podrían ser recogidas en un único libro. Como se deduce de la anterior llamada a la autonomía, la cual no es sólo teórica, aquí está vigente también un principio práctico: si la vida es *problem solving*, un hombre honesto no se verá obligado a leer todos los libros, ni a saber todo lo que se enseña en las escuelas, aunque sean muchos los problemas que es llamado a resolver. La posición parece clara, pero pueden reconocerse tres ambigüedades de fondo.

La primera es que Descartes llega a estos resultados a través de un proceso. Después de una actitud de mayor condescendencia hacia la imaginación como fuente de conocimiento (que coincide con la valoración de la tópica y de las mnemotécnicas) vendría, con el *Discurso del método* y con las obras que le sirven de prólogo (*Dióptrica, Meteoros, Geometría*), una solución de continuidad, por la que, como se ha visto, es a partir de las *Meditaciones* cuando se atribuye a Descartes la invención de la imaginación en el sentido moderno, como contrapuesta a la razón y al *bon sens.* No obstante, en una carta a Mersenne de noviembre de 1639, Descartes declarará que la imaginación ayuda a las matemáticas y perjudica a la metafísica, y en la *Geometria raisonment* sustituye a *imagination.* La imaginación queda como un soporte, separado de la *vis intelligendi*, y es en este contexto donde se sitúa la contraposición entre imaginación y vista en la *Dióptrica* donde, después de un elogio de la visión con sabor aristotélico, Descartes observa que las gafas, inventados hace poco, han llevado nuestra vista más lejos de lo que solía hacerlo la imaginación de nuestros padres (los cuales después serían los filósofos, si se considera el escarnio, contextual, de las especies intencionales «qui travaillent tant l'imagination des Philosophes» AT, VI, 85). Imaginación vale aquí por «quimera»; su lugar es ocupado por las lentes, y Descartes se encarga tanto de su descripción, como de la ilustración de los diversos modos de cortar las lentes. No obstante, en la época de las *Reglas*, el completo aparato escolástico pervive todavía: los sentidos externos reciben, y luego transmiten al *sensorium comune*, de allí a la imaginación, que actúa sobre la *vis motrix* o sobre los nervios, que hacen nacer una idea en el intelecto. A propósito de esto, se ha subrayado frecuentemente la presencia de un patrimonio estoico y aristotélico, por no hablar de las supervivencias escolásticas de las que se podrá fácilmente dar cuenta recorriendo el índice escolástico-cartesiano de Gilson. Efectivamente, por ejemplo en la duodécima regla, el calco es evidente: la fantasía trae las figuras desde el sentido común, la memoria las conserva, y en esta función el conocimiento es tanto activo como pasivo, es decir, imita tanto al sello como a la cera. En un cierto modo, más bien, se asiste a una unificación del *nous poietikòs* y del *nous pathetikòs.* Para Descartes, en efecto, a esta altura, existe una sola facultad: cuando es pura reproducción (cera), es memoria; cuando es simulación de nuevas figuras (sello) es imaginación o concepción (*concipere*); cuando actúa con plena autonomía es *intelligere.* El número mismo, independientemente de aquello de lo que es medida (*Reglas,* IV) aparece como el producto de una abstracción de la extensión importada por la imaginación, por cuyo número, figura, etc. no son verdaderamente distintos de los cuerpos, sino que nos imaginamos solamente que lo son (*Reglas,* XIV). Es además característico que, todavía en las *Pasiones del alma* (1649), la última obra de Descartes, la glándula pineal, depósito orgánico de la imaginación, llamada a asegurar el problemático comercio entre pensamiento y extensión, sea situada (exactamente como en la tipología escolástica, pero con una característica acentuación somática), en el canal de comunicación entre las cavidades anteriores y las posteriores; como una brújula giroscópica, la glándula puede moverse al más mínimo requerimiento, ya sea de modo activo ya sea tras requerimientos externos, de modo que puede cambiar el curso de los espíritus que fluyen por las dos cavidades, y ser alterada (AT, XI, 351 ss.). Unificando los datos que provienen de los sentidos, absorbe la función del *sensus comunis* y concentra en sí las funciones de la reminiscencia: cuando el alma quiere acordarse de algo, la glándula gira en varias direcciones, empujando a los espíritus a las distintas zonas del cerebro, a la búsqueda de las huellas del objeto que se quiere recordar. La pineal es un silogismo mecánico, así como mecánicamente dirige a la *phantasia*, regulando las operaciones necesarias para obtener las imágenes de cosas que nunca se han visto.

Con esto se llega, sin embargo, a la segunda ambigüedad. Detrás de las variaciones históricas, hechas de supervivencias y de transformaciones, se sitúa una fundamental ambivalencia teórica. Se trata ante todo del diasistema entre extensión y pensamiento, que Descartes deja en herencia a la filosofía moderna, después de haber descartado, desde el principio, la imaginación como mediación. Pero no por esto Descartes llega a liberar la conciencia de la extensión. Baste pensar en el privilegio *racional* atribuido al *lumen naturale* (por no hablar del nexo que estrecha el *bon sens*, que se burla de la fantasía, y el *sensus communis*, función de la fantasía y origen del buen sentido): la luz natural y todos los axiomas que hace ver no se someten jamás a la duda hiperbólica, que se despliega precisamente en aquella luz. El intelecto es a la mente como el movimiento al cuerpo, y la voluntad es como una figura; el movimiento intrapsíquico del *Teeteto* y del *Acerca del alma* es restablecido, al menos en la forma del paralelismo y de la analogía, del mismo modo que la ecuación no es sólo una secuencia intelectual, sino que indica también una dimensión real. Si, por tanto, la mente es productiva porque está separada del cuerpo, su productividad reclama, al mismo tiempo, una conexión con el cuerpo y una eficacia externa. Precisamente gracias a este principio (es superfluo advertir su parentela con el esquematismo kantiano) ha podido observarse que en Descartes la distinción entre razón e imaginación no es en absoluto tan nítida como se desearía.

Aquí se hace claro un tercer problema, el más antiguo y radical. Idea es, o bien una operación del espíritu, o bien aquello que se representa de la misma, de modo que se asiste a una característica confusión entre psicología y ontología. Para Descartes, de hecho, la idea es *cujuslibet cogitationis.* Este papel trascendental de lo empírico se despliega plenamente en la prueba ontológica de la existencia de Dios. Agustín, en las *Confesiones,* había traído de la memoria como *cogito* la certeza de la existencia de Dios: es lo que acontece, todavía, en las *Meditaciones.* Pensar es representar, al menos al nivel de las ideas sensibles, o sea de las imágenes externas de las cosas (AT, IX, 29), pero, por ejemplo, el *cogito* no es en cuanto tal visible. Pensar en sentido propio es entonces cerrar los ojos y retraerse de los sentidos. Es sin embargo característico que, una vez que, con los ojos cerrados, me he dirigido hacia el pensamiento en sentido propio, me enfrente con la idea innata de Dios; innata como una huella, siendo análoga a la marca que un artesano hace sobre su obra (AT, IX, 40). Es de ayuda advertir una doble aportación empírica. Por una parte, la señal de Dios es, justamente, una firma o un monograma, o sea algo que no corresponde a las funciones de la imaginación como pinacoteca, pero puede perfectamente convenirle cuando se la considere como una *tabula rasa.* Por otra parte, aquella marca está en mi, y precisamente sintiéndome finito deduzco que debe haber un infinito, existente (porque forma parte de sus perfecciones) y veraz, que en este punto se hace garante de mis conocimientos, o sea de la verdad de lo que veo fuera de mí.

La imaginación no se elimina, sino sólo se transfigura: desde aquí se preparan todas las dificultades del innatismo que acompañarán a la filosofía moderna. Consideraciones análogas podrían desarrollarse, en el extremo opuesto, a propósito de la tentativa cartesiana de explicar sobre bases puramente mecánicas el razonamiento puramente animal. Ahora bien, el esfuerzo hace surgir una forma aún más inquietante de duda hiperbólica: ¿cómo excluir que los otros hombres sean autómatas, cuando se haya conseguido explicar con el mecanismo también el comportamiento animal? Como observará el anónimo redactor de la voz *Ame des bêtes* de la *Enciclopedia*, si Dios puede hacer una máquina tan completa como para realizar las perfecciones de un perro o de un mono, podrá hacer otras que imiten todas las acciones de los hombres. Es característico que, para defenderse de esta duda, Descartes haya invocado, en las *Sixièmes reponses*, la evidencia *psicológica* y, paradójicamente (puesto que intelecto e intuición se mezclan en la noción de evidencia, como ya en el lumen naturale), la *estética* del *cogito*: yo pienso es una evidencia; atribuir el pensamiento a las bestias es una analogía traída de esta evidencia, o sea es una conjetura. Aquí se vuelve a la ambigüedad precedentemente señalada; pero ahora importa ahora sobre todo otro aspecto. Si para Descartes el valor principal de la razón consiste en su instrumentalidad, ¿cómo se puede negar una razón a los animales, que dan satisfacción a las necesidades de su vida? La superioridad de la razón sería aquí solamente cuantitativa. El autómata, esto es el animal, repite, el hombre es libre, porque dispone de la razón, o sea de un *instrumento universal* (*Discurso del método*, AT, VI, 57). Es singular que precisamente el mecanismo sea requerido a la hora de probar la autonomía de la razón. Pero, por otra parte, ¿qué es el espíritu sino una técnica más perfecta? También por esta circunstancia, las reflexiones sobre memoria y hábito tienen, en Descartes, un papel central, que se acentuará en Louis de la Forge, el médico editor del *Traité de l'homme*, preparando una reflexión que, desde Malebranche a Hegel, lleva a Bergson.

Capacidad e imbecilitas de la imaginación

En el *Lexicon rationale* de Chauvin (1692), en la voz *phantasia*, se lee que, gracias al argumento del *lumen natu-*

rale, el hombre no puede conocer de otro modo que con la imaginación y el sentido, pero que éstos derivan de la inteligencia, y no al contrario. No obstante, se ha visto (y en esta expresión se condensa todo el problema), una luz tal es *natural*: introduce la sensibilidad en el corazón del intelecto. La ambigüedad de Descartes es por tanto la de su época y, más profundamente, la de la noción de ser como presencia que está en la base de la determinación de la verdad como evidencia. La debilidad, o sea, diría Spinoza, la *imbecillitas* de la imaginación como retención pasiva es por tanto también su máxima capacidad, porque gobierna el mantenimiento y la idealización de la presencia también más allá de su permanencia empírica. Esta circunstancia no se atenúa, sino que más bien entra en una fase crítica, en el momento en que se considera, con una progresiva clarificación de aquello que se había sabido siempre, que la presencia no es nada inmediatamente dado, sino más bien deriva de un acto positivo de constitución.

Es eso lo que se hace explícito típicamente en Thomas Hobbes (1588-1679). Hobbes habla de la imaginación en el capítulo segundo y tercero de la primera parte del *Leviatán* (1651). Pero ya en el primer capítulo, hablando del sentido, la caracteriza como aquella apariencia que nos da la imagen sensible, a la cual no corresponde con exactitud nada externo, desde el momento que las cualidades sensibles no son sino movimientos en la materia, y es la imaginación de los sentidos quien la transforma en visiones, sonidos, sabores. La crítica hobbesiana se dirige al aristotelismo, que supone que los objetos proyectan en torno a sí una *species* visible, audible, o incluso inteligible. Precisamente por esto Hobbes puede hablar, en el capítulo siguiente, de la imaginación como un sentido mitigado, y valorar su tarea en la memoria, en los sueños y en las apariciones, que los antiguos confundieron con la visión y con el sentido como tal, dando rienda suelta a las supersticiones. Pero la regla de lo falso es también principio de lo verdadero, si es que el discurso mental interno, distinto del hablado, es una concatenación de imágenes, que envuelve, como parte del razonamiento, todas aquellas funciones que Aristóteles colocaba en un nivel inferior respecto al pensamiento: la reminiscencia; la espera de casos semejantes («prudencia», la providencia de los estoicos y el *analogon rationis*), común a hombres y bestias; la conjetura del pasado, esto es, lo contrario de la prudencia. Es entonces una circunstancia muy significativa aquella por la que el capítulo cuarto, consagrado al lenguaje, no considere los orígenes del grito, sino del alfabeto, perfeccionado por la imprenta, pero cuyos orígenes se encuentran en una invención aún más grande, que tuvo lugar cuando Dios autorizó a Adán a dar nombre a los animales. El paradigma alfabético es la llave de todo: el regreso hacia el origen del lenguaje no es llevado a cabo en el plano de la expresión, sino sobre el de la articulación; al principio no es el grito, sino el código, que Dios transmite al hombre y que se propaga en el espacio y en el tiempo a través de la escritura.

Es difícil por tanto ver una condena de la imaginación, si todo es puesto en evidencia por una articulación cuyo recurso mínimo es ofrecido por la retención. Esto vale también para Pascal (1623-1622), que la define como maestra de error y de falsedad, y enemiga de la razón, pero sólo porque, no de modo diferente a cualquier escolástico, considera que ella puede, pero no necesariamente debe, ser engañosa. Ciertamente, para Pascal –como para Charron, Bossuet, Arnauld y Nicole, Fénelon– «fantasía» designa el capricho, lo tradicional, lo idiomático, y, en definitiva, todo lo que contrasta con la realidad o (y no es lo mismo) que choca con la razón; y esta determinación quimérica puede valer también para la imaginación, si Pascal puede escribir de ella, en las *Provinciales*, poco más o menos lo que Bossuet piensa de la fantasía: «les imaginations de vos auteurs passeront pour les vérités de la foi». Pero, como tal, una distinción semejante no tiene nada de típicamente moderno; no hay por tanto lugar para buscar cambios temporales de paradigma o fracturas epistemológicas, tanto más en un autor que –como enseñan los *Pensamientos*– estima la novedad del pensamiento como consecuencia de la variada disposición de las materias, o sea, da por sentado, además del tradicional escepticismo hacia las imágenes, el reconocimiento de lo imprescindible de la retención mnéstica del pensamiento.

Consideraciones análogas son desarrolladas por Spinoza (1632-1677). La imaginación es sensible, espacio-temporal, distinta del conocimiento necesario; pero, al menos en la época del *Breve tratado* (concluida quizá en 1660-61), está vigente un paradigma intuicionista, para el que conocer no es actuar, sino un puro padecer, que deja por tanto espacio a la imaginación. Es cierto que, para el Spinoza de la *Ethica* (cuya redacción inicia rápidamente después, pero cuya redacción definitiva debe situarse presumiblemente entre 1671 y 1675), conocer se convierte en hacer. La imaginación, ya descalificada por su pasividad (y es procedimiento perfectamente tradicional), se ve ulteriormente humillada en virtud de la circunstancia que hace de ella una función de lo ausente, poco aceptable en una filosofía del pleno ser como la de Spinoza. Aquello que reaparece es por tanto el problema de la identificación de la verdad como presencia, radicalizado por la tematización postcartesiana de la evidencia. La imaginación muestra al espíritu como presentes las cosas que no están en el espíritu, y por esto, como fuente de ilusión, recibe una condena que es al mismo tiempo ontológica y gnoseológica. Pero, en primer lugar, esta puesta en duda no vale sólo para la imaginación sino, por el mismo motivo, también para las palabras (*Ethica*, II, 48, nota). En tercer lugar, y precisamente por vía de los puntos precedentes, también el estatuto puramente pasivo de la imaginación está lejos de ser asegurado; si efectivamente ella traduce confusamente, en imágenes mentales, las afecciones del cuerpo (mientras el espíritu concibe lo verdadero), ella no es pura pasividad, es *virtus e potentia imaginandi.* Así, en particular, representando lo deseable, puede producir ese afecto supremo que es la alegría: la plena presencia y la más grande capacidad encuentran por ello su ocasión en la función de lo ausente.

Gassendi y Malebranche

La logique ou l'art de penser de Arnauld y Nicole diferencia la imaginación de la idea. El recurso a la imaginación en el pensamiento es, agustinianamente, una consecuencia del pecado original, pero el argumento del kiliágono demuestra plenamente la autarquía de la lógica y, si Hobbes había asociado imaginación y lenguaje, así la independencia del pensamiento de la imaginación es también autonomía del verbalismo que quería reducir el razonamiento a conexiones de pensamientos mediante la cópula; viniendo al centro de la cuestión, ninguna idea viene de los sentidos, si no ocasionalmente. Es dentro de estos límites sustanciales donde se deberá entender la circunstancia por la que Arnauld, a las críticas promovidas por Goibad du Bos contra la imaginación en la elocuencia sacra, la rehabilita en las *Réflexions sur l'éloquence des prédicateurs*, encontrándose cerca, además de Nicole, Bossuet y Boileau. Es el argumento apologético que se volverá a presentar en la *Estética* de Baumgarten, y que está vigente ya en la retórica de Bernard Lamy (1676), para el cual, como en la *Institutio oratoria* de Vico, hay ámbitos en los que la imaginación, como retención de lo ausente, es absolutamente imprescindible: sirve poco en las matemáticas, donde se parte de pocas premisas seguras, mucho en aquellos saberes que tienen algunas manifestaciones complejas (también si se prescinde de la circunstancia pedagógica de que las verdades abstractas son poco practicadas y por tanto poco amadas). Una valoración análoga en la estilística se encuentra en Fénelon y en La Bruyère, mientras Bouhours –cuya reputación de «clasicista» ha sido con toda justicia contestada por Bäumler– reconoce el valor específico de la inexactitud. Es quizá en este contexto donde Mersenne (1588-1648), en aparente concordia con la revolución cartesiana, primero alaba la imaginación (en las *Quaestiones in Genesim*, de 1623), como madre de poesía, dialéctica, música y geometría, posteriormente (en las *Quaestiones théologiques* publicadas once años después) hace de ella algo exclusivo de mujeres y niños.

Pero, aún una vez más, y pasando a cuestiones más sustanciales, ¿qué tipo de luz es el *lumen naturale,* y qué relaciones mantiene con la luz que se esconde incluso en el étimo de la fantasía? Pierre Gassendi (1592-1655) sigue a Epicuro y Lucrecio entre los antiguos, y entre los modernos a Vives en psicología, Ramo en la lógica, Charron en la destitución práctica de Aristóteles en el camino hacia la sabiduría, y Montaigne. Proclive a una concepción operativista de la razón, identifica la actividad racional y la imaginación, según el programa –vigente en Vives (la *ratio* como perfeccionamiento de la *memoria*) y antitético a Descartes– expuesto en el prefacio a las *exercitationes paradoxicae adversus Aristoteleos*: «Semen animatum facio: Brutis rationem restituo: Intellectum, Fantasiamque nullo discerno discrimine». De la analogía de los efectos se sigue la analogía de las causas, y este principio rige las quintas objeciones a las *Meditaciones* de Descartes. No se pueden indicar operaciones más nobles que cualifiquen la superioridad de la *res cogitans* y, concedido esto, precisamente a la imaginación como facultad de la mediación es encargado un papel hegemónico, desde el momento que el pensamiento deriva del sentido por «analogia, compositione, divisione, ampliatione, extenuatione». En particular, en las *Objeciones* (1642) juzga, establece relaciones de identidad, razona, imita, habla; en el *Synyagma, philosophiae Epicuri* (1649), apercibe, compone y divide, con la intervención de juicios sensibles, y es racional en el concatenar los juicios. La certeza del *cogito* había sido argumentada por Descartes precisamente desde su carácter no icónico, mientras que la duda intervendría cuando se contemplase una figura o la imagen de una cosa corpórea; Gassendi, en las quintas *Objeciones*, le opone que se podría contemplar la propia naturaleza a través de una imagen corpórea, y que la naturaleza misma del pensamiento podría ser corpórea. El proyecto es continuista: cuando miro el sol, es una sensación, y cuando cierro los ojos y retengo su imagen, es una consciencia interior: ¿cómo puedo establecer si conozco el sol con la imaginación y el sentido común, o bien con el espíritu y el intelecto? Intelecto e imaginación no serían sino especificaciones de una misma facultad, la primera operante *circa priora* (aristotélicamente: *ta saphestera te physei*), la segunda *circa posteriora (*ta saphestera hemin), como cuando se considera racionalmente el sol como distante o se valora (perceptivamente) que no es más grande que un pie (*Acerca del alma*, 428b3-4) o, como dirá Austin, como un *sixpence.* El continuismo vale obviamente también para la escala ininterrumpida que liga el razonamiento animal y el humano (donde vuelve el ejemplo del perro que huye ante el bastón, modulado de modo lucreciano); una cosa que siente, de hecho, es ya una cosa que piensa, y la separación entre pensamiento y extensión resulta inverosímil precisamente porque reduce la materia a pura pasividad. También un perro sabe reconocer al dueño, independientemente de las posturas que este último adopte (a esto se añade el hecho de que reconoce una esencia común a aspectos diversos), y considera que es siempre la misma liebre aquella que vio antes corriendo y después muerta, despellejada y hecha pedazos. Recíprocamente, el espíritu es todavía un resultado de la imaginación, que puede ser imperfecta o confusa, y perfecta y distinta, según lleve a cabo la propia inspección con mayor o menor atención.

Nicolas Malebranche (1638-1715) es por su parte la expresión de un trabajo interno al cartesianismo. El segundo libro de *De la recherche de la verité* (1674), que trata de la imaginación, deja abiertos unos puntos críticos precisamente en la distinción entre extensión y pensamiento. En el cerebro se inscriben unas huellas, que llevan consigo un facilitar, canalizando huellas sucesivas; con argumento cartesiano, la memoria puede ser considerada una especie de costumbre: como las costumbres del cuerpo se siguen de la facilidad adquirida por los espíritus al pasar a través de él, así la memoria consiste en las huellas que tales espíritus depositan en el cerebro; el modelo mecánico, por el que un coche funciona mejor cuando se le ha hecho el rodaje, vale entonces también para la *res cogitans*, y es en este contexto donde Malebranche se empeña en un cuidadoso análisis de la asociación de ideas. No se necesita subvalorar la densidad gnoseológica de este argumento, que vuelve a ser tomado en aquellos mismos años por otro cartesiano, Darmanson, en *La beste transformée en machine* (1684), para la explicación del comportamiento animal, donde el cerebro de las bestias es comparado a un prado sobre el cual, caminando, se excavan unos senderos que facilitan pasos sucesivos. La huella se sitúa entre naturaleza y cultura, como la imaginación: la primera vez, inscribiéndose, es naturaleza; pero la segunda vez, al facilitar un sendero abierto, ¿se puede hablar verdaderamente todavía de naturaleza, o no es ya cuestión de articulación y de cultura?, y, si esto es cierto, ¿en qué modo la explicación de Darmanson, que se mueve por motivos apologéticos (mostrar que el análisis de Descartes concuerda con la sentencia del *Levítico* por la que el alma de los animales está en su sangre, esto es, no existe), no vale también para los hombres? El problema se enriquece, en Malebranche, a través del examen de la mímesis, o sea, del modo en el que la imitación de lo externo sensible opera sobre lo interno inteligible del hombre, y, sobre todo, con el discurso onto-teológico sobre la transmisión del pecado en la vida prenatal. El feto es un cuerpo único con la madre, pero las almas son diferentes; y no obstante, en virtud de esta unión somática, la caída de la madre transfiere al hijo el pecado original, así como, sobre esta base, se asegura la transmisión de sentimientos o de monstruosidades somáticas.

Un rey de Inglaterra teme las espadas, porque con una espada había sido amenazada su madre cuando estaba embarazada de él; una madre mira un cuadro donde se representa un santo que mira fijamente al cielo, y el hijo nace con la frente baja como la del santo en la perspectiva en la que estaba pintado. Si estos ejemplos parecen una reedición de las historias populares sobre los antojos de fresas o de patatas fritas que las puérperas imprimen en los nonnatos, es difícil eludir la íntima crucialidad de una relación tal. Todavía en 1756, Roederer, entonces profesor de medicina en Göttingen, coloca el problema de la imaginación fetal como *Preisausgabe* en la Academia de Pietroburgo; y que no es una mera cuestión médica se comprende si se considera que Hegel, en la *Enciclopedia* (p. 405, *Zusatz*), ve en la comunicación entre dos cuerpos y un alma todavía indivisa la esencia (cartesianemente problemática) de lo *psíquico*, de una relación que no es solamente corporal, ni solamente espiritual.

Locke y Leibniz ante el espejo

Precisamente por esto, John Locke (1632-1704) no emprende una cruzada contra el cartesianismo; simplemente considera las íntimas dificultades que aquél presenta a la hora de justificar las relaciones entre pensamiento y extensión cuando se les ha separado demasiado, y renueva la hipótesis de un origen sensitivo del pensamiento más bien de modo problemático. En el *Ensayo sobre el intelecto humano* (1690), como Descartes, Locke llama «idea» a cualquier contenido mental, directo o reflejo. A su vez, la idea puede ser simple o compleja; los universales tienen un valor puramente clasificatorio: no están en las cosas sino –justo al modo cartesiano– sólo en nuestra mente, sin que a ellos corresponda ninguna realidad determinada. De aquí el punto de partida del *Ensayo*: no existen principios especulativos o morales innatos, o sea, no se dan caracteres impresos desde el origen en el alma, y los hombres pueden adquirir su conocimiento a través, únicamente, del uso de sus facultades naturales. Locke dice haber llevado a esta convicción a través de la duda: se dice que son principios sobre los que todos los hombres están de acuerdo; ahora, ¿es necesario pensar que este acuerdo venga de lo innato? Y después, ¿existe este acuerdo verdaderamente? Tómense axiomas como: *todo lo que es, es,* o el principio de no contradicción. Sobre ellos, por ejemplo, tanto los niños como los idiotas no están de acuerdo en absoluto. No hay nada impreso en el alma, excepto una predisposición a recibir las impresiones.

Después de haber destruido la hipótesis del innatismo, se trata entonces de explicar la génesis de las ideas. En primer lugar, los sentidos hacen entrar en la mente unas ideas particulares «comenzando a preparar aquel sitio vacío» (obsérvese la imagen mnemotécnica); de aquí, abstrayendo de esas primeras, la mente se forma las ideas abstractas. Pero éstas no podían preexistir; el consenso inmediato que se da a ciertas proposiciones no quiere decir que sean renacidas, sino sólo que, antes de conocerlas, la mente estaba despoblada de ellas. Ellas entonces no encuentran resistencia, que es después lo contrario de la facilidad de la que hablan Darmanson y Freud. ¿Pero se trata, como pretenderá polémicamente Berkeley, de imágenes mentales? Locke habla del espíritu como de «una hoja en blanco, privado de caracteres, sin ninguna idea» (II, I, 2); «idea» no es aquí una imagen, sino, precisamente, una huella. Por lo demás, es sólo sobre esta base que Locke puede hablar de la idea no sólo de lo blanco, sino de lo dulce y de lo amargo. Por tanto, la primera fuente de las ideas son las sensaciones, la segunda las operaciones de nuestro espíritu; el sistema adoptado por Descartes para explicar el origen de las pasiones es aquí llamado a esclarecer el origen del pensamiento. La psicología puesta en acción es entonces aquella, de fundación escolástica, del origen sensitivo de las ideas: percepción; retención (o sea la conservación de las ideas simples), que es o bien contemplación (aquella que Kant considerará como la intervención de la imaginación en la percepción), o bien memoria, esto es, atención y repetición; facultad de discernir entre varias ideas (donde el ingenio une y el juicio discrimina). Es en este ámbito donde se sitúa la abstracción –por cuyo trámite ideas obtenidas de seres particulares son hechas valer por una clase entera–, y que se echa de menos en los animales, que, privados de *Wit* y de juicio, tienen ideas confusas y probablemente carecen de ideas complejas. Como se ve, en la formulación de Locke no se habla de una generalización de la imagen como tal, sino de la función de la que la imaginación se convierte en carácter, exponente o nota; si esto es cierto, es sin embargo problemático negar el juicio a los seres brutos y al mismo tiempo afirmar –también Locke lo hace– que ellos comparan (o sea juzgan) no las ideas, sino las circunstancias sensibles. ¿Qué son de hecho las ideas si no circunstancias similares, o sea, al mismo tiempo, lo mismo que la sensación y su contrario retenido e idealizado?

El *Ensayo* de Locke fue traducido al francés por Coste en 1700, y produjo un gran efecto en la que se define, tan mal, como la Europa de la *Enciclopedia*; pero Diderot, al replicar el nexo entre conocimiento y facultad en el programa de la

Enciclopedia, es aristotélico y libertino no menos que lockeano. Entre las dos circunstancias no hay de hecho contradicción. En los léxicos del XVIII de Gottsched, Lacombe, Sulzer, así como en la *Enciclopedia*, la referencia a Locke es una *koiné* casi incontrastada precisamente porque restablece el sentido común sacudido por el cartesianismo. La imaginación viene de los sentidos, y de la imaginación la idea, de modo que la imaginación es un plexo comprensivo de percepción y memoria. Es, justamente, la *doxa* recibida y suscrita por Voltaire, en la voz de la *Enciclopedia* retomada y ampliada en el *Diccionario filosófico*, y que en el breve relato filosófico *Aventure de la mémoire* proporcionará una apología de Locke contra Descartes: la humanidad había considerado siempre a la memoria como divina, y este principio, que es tomado como préstamo por los peripatéticos, es asumido como dogma también en la Sorbona, por los Jesuitas y por los Jansenistas, que lo repudiaron finalmente en nombre de «un argumenteur, moitié géomètre, moitié chimérique», y dieron por sentado el nuevo prejuicio sellando *la vuelta al buen sentido* que venía de Locke. Como la venganza de las musas, que por breve tiempo quitaron la memoria a la humanidad, con la consiguiente desaparición de bodas, tribunales y altares.

Leibniz (1646-1716) sufrió que Locke no lo leyera y, cuando hubo muerto su interlocutor fallido, no pensó publicar los *Noveaux essais sur l'entendement humain*, que son, respecto al *Ensayo*, como un espejo: igual y lo contrario, y también de menor minuciosidad. Por esto, Kant puede decir que Leibniz intelectualiza el fenómeno, del mismo modo que Locke había materializado el concepto, considerándolo un puro efecto de la reflexión del sentido. Recibido y codificado por Hegel (*Enciclopedia*, p. 459, *Zusatz*), este juicio es en conjunto justo, a condición de que se vea en el intelectualismo la misma cosa que el sensismo, vuelto del otro lado como un guante. Como Malpighi o Leeuwenhoeck constatan, en biología, la carencia del mecanicismo que se encuentra en Descartes no menos que la que se encuentra en Locke, así Leibinz anticipa (por ejemplo en la doctrina de los pequeños animales espermáticos contenidos en los grandes, de los que se trata en los *Principes de la natura et de la grâce*, 1714, p.6) aquel movimiento que, en la mitad del XVIII, con Bonnet, Haller, Spallanzani, será el preformismo: toda semilla tiene en sí las potencialidades del individuo formado. Se tiene de él la huella, con su doble valencia, de retención del pasado y de protención hacia el futuro. Si, sin embargo, se asume esto, la disputa entre innatismo y empirismo se revela mal planteada, o sea, colocada en un ámbito ya constituido y derivado respecto al valor institutivo de la huella. Para Leibniz, y a partir del *Discours de Métaphysique* (1686, p. 8), la diferencia entre *a priori* e histórico es sólo un modo antropológico de considerar las cosas, desde el momento que, a los ojos de Dios, en el alma de Alejandro quedan las huellas de todo lo que le ha sucedido, las de todo lo que le sucederá, e incluso las huellas de todo lo que sucede en el universo. Lo que Leibniz refigura a través de la mirada divina es la propiedad inmanente a la huella de ser no tanto efecto de la temporalidad, cuanto más bien, como se ha visto en el examen de Aristóteles, una condición suya, del mismo modo que la imaginación no sigue a lo sensible y a lo inteligible, al *a posteriori* y al *a priori*, sino que es su condición archi originaria. Es difícil aquí distinguir lo innato de lo adquirido, precisamente porque, si éstas son distinciones temporales demasiado humanas, en el fondo demasiado humana es la disputa entre innatismo y empirismo. También en el *Discours,* Leibniz viene a hablar del *Menón* y de la doctrina de la anamnesis. Según Leibniz, es una mala costumbre pensar que nuestra alma reciba una especie de mensajes, es decir hermeneúticos, de lo externo, y que tenga puertas y ventanas; en realidad, tenemos todas las formas en nuestro espíritu, que recoje las cosas pasadas, y, justamente, anticipa confusamente el futuro; se sigue de ello que aprendemos justamente porque tenemos ya la idea correspondiente a aquello que aprendemos.

Así, veinte años después, en los *Nouveaux essais.* Hace falta pensar no tanto en la mente como una tabla de cera o de mármol liso, sino más bien como un negativo con estrías; en la primera hipótesis, las ideas estarían en la tabla como una estatua de Hércules en un bloque amorfo de piedra, o sea, sería indiferente al soporte. Pero si el bloque está estriado, entonces esas predisposiciones orientarían ya al escultor, que debería buscar las venas, sacar a la luz aquello que hace efectivamente que el bloque está preparado para extraer de él esa estatua y no otra. Y es en este sentido que la *tabla*, si se entiende bien, no repugna a la anamnesis, desde el momento en que lo que viene del exterior está preparado para volver a despertar una tópica interna. Más adelante, discutiendo las ideas complejas, Leibniz modifica en modo análogo la otra gran imagen tradicional usada por Locke, aquella por la que la mente sería una cámara oscura. Leibniz propone concebir la tela del **fondo** como una superficie arrugada, donde las arrugas, como las vetas del mármol, serían las ideas innatas, De este modo, los pliegues nuevos se añaden a los viejos, y entran en resonancia, puesto que no sólo el cerebro recibe «des images ou des traces», sino que forma de ellos algo nuevo (Gerhardt, V, 132). Debe pensarse en el telón de un teatro: si la luz es la misma, pero los pliegues son distintos, con los mismos materiales se obtienen imágenes totalmente heteromorfas. Por otra parte, este pliegue está en la cámara, sobre el fondo o sobre la *tabula*, esto es no se trata de nada trascendente. Está ya allí, pero en un *allí* igual y diverso, como lo no escrito de la tablilla, o como la arruga sobre un rostro que, por una extraña temporalidad, habría venido a encarnarla.

No debe sorprender si, dados estos presupuestos, Leibniz puede encontrar una gran solidez en la doctrina de la anamnesis. Los mismos elementos de los que es purificada –y se trata de una fuerte concesión al empirismo– son los errores de la preexistencia y la idea de que el alma haya ya sabido y pensado claramente lo que piensa y aprende actualmente (*Discours de métaphysique*, p. 26). Ahora, el modelo del *Menón* demuestra que nuestra alma sabe todo virtualmente, y no necesita sino de un reclamo, casi de un pro-memoria. En otros términos, la prontitud externa no hace sino despertar de nuevo una tópica interna. Pero, gracias a lo que se ha dicho de la temporalidad de la huella, o mejor de la huella como institutiva de la temporalidad, de la idealidad, y de la misma distinción entre naturaleza y cultura, la diferencia entre la primera y la segunda huella, entre lo potencial y lo actual, se hace aquí más evanescente que nunca. Precisamente esta es la clave. Muy poco después de la aprobación de la anamnesis, Leibniz escribe que la doctrina aristotélica de la *tabula rasa*, y de la anterioridad de la percepción respecto al intelecto está más de acuerdo con el sentir popular, como sucede siempre en el caso de Aristóteles. Y no obstante estas **doxologías o practicologías**, la platónica como la aristotélica, funcionan ambas bien, del mismo modo que después de Copérnico continuamos diciendo que el sol sale o desaparece. El principio de que nada está en el intelecto que no estuviera antes en los sentidos vale sólo a condición de que se añada una claúsula por la que el intelecto, como tal, no viene de los sentidos; pero el intelecto, a su vez no es sino un pliegue: una potencia de retención que se compone de la misma materia de la que está tejida la cámara oscura de la percepción.

III

El siglo dieciocho

«General Ideas»

Entre los máximos logros por aquel entonces recientes en la república de las letras, Hume sitúa la crítica que George Berkeley (1685-1753) dirige en el *Tratado* (1710) a la doctrina lockeana de las ideas generales. En los libros de los autores modernos, observa el obispo anglicano, jamás falta una disertación sobre las ideas o nociones abstractas; ahora bien, la abstracción tiene un carácter verdaderamente increíble: mientras nosotros reconocemos las cualidades como mezcladas con las cosas, la abstracción deberá estar preparada para pensar tales cosas separadamente (por ejemplo, la idea de color sin la de la extensión); aun con mayor razón parece increíble la pretensión de retroceder, desde los particulares humanos, a una idea del hombre. Con estilo cartesiano, Berkeley aduce entonces una experiencia personal: si otros también afirman que pueden abstraer sus ideas, eso no les sucede por autopsia, desde el momento en que todo lo que consiguen es imaginar unas ideas de cosas particulares y combinarlas. El hecho, no obstante, de que estas imágenes tengan una forma y un color determinados, señala un límite insuperable en la abstracción –un límite que Berkeley, entonces, concibe como estético, y no como lógico–. Es en este momento donde el *Ensayo* de Locke es examinado en un punto neurálgico, aquél en el que se asigna la facultad abstractiva a los hombres y se le niega a los animales. Esta llamada, a diferencia de lo que sucede en los aristotélicos, no se hace para redimir a las bestias, sino más bien para humillar a los hombres. ¿De hecho, por qué se debería negar a los primeros aquello que ni siquiera consiguen los segundos, a menos que reciban las ideas de Dios? Como ente de naturaleza, el hombre no posee ideas generales más de lo que las puedan poseer una ostra o un castor. El hombre no tiene ideas generales, sino que, podemos decir teniendo presente todo lo que se ha dicho de Platón, tiene unos ejemplos, unos casos particulares, que Berkeley llama *diagramas* (*Tratado*, p. 16). Así, este triángulo particular, con estas determinadas propiedades, no se convierte en general por abstracción, sino más bien porque sus propiedades, de por sí absolutamente individuales, pueden ser extendidas a una cierta clase. Si tenemos presente el *Ensayo hacia una nueva teoría de la visión,* (con el que Berkeley se había presentado un año antes del *Tratado*) el carácter platónico de este punto de vista es aún más manifiesto: hablando con propiedad, es sólo la presencia ideal la que está presente a la vista. Eso que, por el contrario, vemos fuera de nosotros es el recuerdo de un tacto, que la vista sólo se limita a *sugerir*, del mismo modo que los pensamientos son sugeridos por el oído, o del mismo modo que la ira puede vislumbrarse a partir de un rostro. En definitiva: yo no deduzco las propiedades de un triángulo equilátero viendo una señal de peligro y haciendo abstracción tanto de las dimensiones como del rojo de los bordes y del signo de exclamación, sino más bien sucede que ese triángulo así y así puede servir para ilustrar propiedades que valen también para un triángulo trazado sobre el papel o concebido en la mente.

Aquí se está haciendo preciso lo que se verá más claro con Kant, quien se compara con Berkeley en el capítulo sobre el esquematismo de la *Crítica de la Razón Pura*, concediéndole que jamás una imagen en cuanto tal podrá convertirse en general, y que se necesita hablar de un método de construcción por el que las señales llevan a la formación de imágenes. La proximidad es fuerte, no sólo por el parentesco que liga el esquema kantiano como *monograma* con el *diagrama* del *Tratado*, sino también porque la preocupación no es tanto la de mostrar cómo de lo particular se llega a lo general, como la preocupación inversa, la especificación por la que unas categorías a priori pueden adaptarse a objetos particulares. No obstante, oponiendo monograma y diagrama a la imagen, Kant y Berkeley cometen una injusticia con Locke, quien igualmente, al hablar de impresiones, había recurrido a una metáfora tipográfica (la mente vacía de caracteres), refiriéndose a la imagen propia del folio más que a la del museo. Si cada imagen es representación de sí y huella de otro, tal imagen es ya una abstracción y un método incluso en su primera presentación ante la mente.

Todo eso resulta muy claro en David Hume (1711-1776). En los *Prolegómenos a toda metafísica futura* Kant hizo un dudoso servicio a aquél y a sí mismo, atribuyéndole el mérito de haberlo despertado de un sueño dogmático, y uniéndolo por tanto a la incómoda y mediocre función de bautista o de predecesor incompleto. También Hume, de hecho, hereda de Descartes la definición del término «idea», que él califica de modo entusiasta como el descubrimiento más profundo de la filosofía moderna. El problema no es el de las ideas generales, sino el de las ideas *tout court*, y Hume responde al mismo, en el *Tratado* (1739) con una doctrina sencilla y elegante: en primer lugar se tiene una sensación, después una imaginación, finalmente una idea. Que este progresivo debilitamiento de la idea es una transición hacia la generalidad, es cosa obvia, porque la imagen está más extendida (esto es, menos particularizada) que la sensación, y la idea es aún menos intensa que la imagen. Con esto, sin embargo, no hemos llegado a una idea general, sino sólo a un empobrecimiento, o sea a la pérdida de determinaciones concretas, de sensaciones particulares. Es por esto que, después de haber llevado a cabo un análisis que tiene un sabor lockeano, Hume puede suscribir la condena de Berkeley a la doctrina de las *general ideas*, y sostener, por el contrario, su deseo de limitarse a la de la verificación.

El genio de Hume se demuestra precisamente a propósito de la verificación, que prescinde del *deus ex machina* de Berkeley, y se apoya en una doctrina del hábito que desarrolla la teoría aristotélica del análogo de la razón. *Habitus* no es sino iteración de la huella; por esto Hegel dirá (*Enciclopedia,* p. 410, *Zusatz*), que «el hábito es, como la memoria, un aspecto difícil en la organización del espíritu». Hume da un rodeo a la problematicidad de las ideas generales en Locke, transfiriendo el principio de generalización desde el objeto al sujeto: no es la señal de tráfico la que transciende al triángulo equilátero general, es la tabla de mi memoria la que asocia todas estas ocurrencias bajo una señal general, de la que cada una de ellas es una actualización. Así, es el sujeto quien realiza la abstracción, desde el momento en que la invitación a pensar en una esfera sin su color no es sino la decisión, subjetiva y operativa, de dejar a un lado el examen cromático para concentrarse en el morfológico. La retención y su lado negativo, la abstracción, se apoyan sobre el papel primario de la imaginación. De hecho, de los sentidos no llega ni la creencia en la existencia continua de los objetos, incluso cuando no son percibidos, ni la creencia, que está obviamente conectada a ello, en el hecho de que su existencia esté separada de la percepción que de ella tenemos. Esta puede llegar sólo de la imaginación, o mejor, del ajuste entre algunas cualidades de nuestras impresiones y algunas cualidades de la imaginación, que produce una propensión tan fuerte a confundir con una auténtica identidad la semejanza de percepciones separadas en el tiempo (y por ello no idénticas) que, a pesar del testimonio de los sentidos y de la razón, fingimos y creemos una continua existencia de percepciones.

Es el problema sobre el que volverá Sartre al inicio de *La imaginación*, con el ejemplo del folio en blanco ante él, que podemos modernizar: mientras estoy escribiendo, veo la pantalla del ordenador, pero imagino también los libros que hay detrás de mí. Hume en cambio habla de perros: el perro silencioso o el perro que ladra son lo mismo; pero para que se dé este *mismo* es necesario precisamente un trabajo de retención que es ya idealización. Desde este punto de vista, la ingenuidad de Hume no está en su concebir la idea como una extenuación de la impresión, sino en ser demasiado tímido en su doctrina del hábito como retención de la huella, por la que, después de haber reconocido que la constitución de la experiencia tiene lugar por retención, piensa sin embargo que existe un estado neutral de la percepción, aún no manchado por la imaginación y la memoria, casi como si la imaginación y el hábito operasen como una mínima indicación respecto a una percepción bruta. Wittgenstein dirá, en las *Investigaciones filosóficas*, que encontramos en la visión muchos aspectos oscuros, precisamente porque asumimos que la visión es algo elemental, y que se da sin implicaciones y retenciones, con la simplicidad de una primera vez. Pero si se quiere llegar al fondo en la doctrina del hábito, no existe una primera vez, y nos damos cuenta de ello cuando, viendo la misma imagen, podemos decodificarla una vez como un jarrón, otra como dos rostros que se enfrentan. Si esto es cierto, un delgadísimo tabique separa la doctrina del hábito del trascendentalismo. Cuando entramos en una escalera mecánica rota, nos viene el vértigo. Esperábamos que se moviese, y el que no sea así afecta a nuestros sentidos hasta la naúsea. ¿Verdaderamente el hábito crea solamente la creencia y no, también, la experiencia? Y, si crea la experiencia, ¿es verdaderamente sólo hábito?

«*Tener intuición*» *después de Shaftesbury* y *Addison*

Dondequiera que se trate de retención, la dicotomía entre sensible e inteligible es más exigua que nunca. Hemos ya resaltado, hablando de Aristóteles, como la *koinè aisthesis*, que coordina impresiones provenientes de sentidos diversos, es una función perfectamente estética pero también completamente idealizante, como se encuentra ya en la misma idealización inmanente a la impresión particular, que no lleva consigo los materiales que la ocasionan, y que al mismo tiempo que registra (idealiza) percibe. No hay que sorprenderse por tanto del hecho de que el *sensus communis*, que no es sino la traducción latina de la *koinè aisthesis*, pueda valer en el siglo dieciocho además como sentido común, en acepción plenamente escolástica (así en Condillac y Beccaria), y como un sentido común moral, justamente como el buen sentido y todo aquello que, en el hablar corriente, indicamos con ese nombre. Este valor es particularmente visible en Shaftesbury (1671-1713), que razona sobre ello en los ensayos recogidos bajo el barroco título de *Characteristics* (1711), y designa mediante «sentido» la opinión y el juicio, y con «común» la humanidad. En este paso de lo sensible a lo inteligible se llega a pensar en la sentencia de Nietzsche, por la que las verdades no son sino metáforas, o sea, justamente la espiritualización de algo sensible. El sentido idealiza, por tanto juzga; por su parte, lo común, que coordina percepciones diversas, es una idealización segunda, que vale también como «comunitario», o sea como sentimiento de humanidad y de urbanidad, que Shaftesbury justifica retrotrayéndose a Juvenal, Salmasio, Casaubon (y que volverá a encontrarse en la experiencia del valor comunitario del gusto en Kant, por el que cuando aprecio cualquier cosa imagino también que otros hombres estarán de acuerdo conmigo: como escribe Freud, jamás se ríe ni se llora solo). Es también significativa, desde este punto de vista, la circunstancia de que este sentimiento comunitario (como la *Law of Opinion* en Locke y el *régime de la critique* en Bayle) valga en un momento determinado como conciencia individual, en la que se manifiesta el origen de este juicio moralizado por el dominio de la sensación individual. Igualmente, el converger de belleza y moralidad no se apoya principalmente sobre el lado más obvio del moralismo platónico, sino que se apoya, más bien, sobre su presupuesto, o sea sobre el hecho de que lo sensible, por la duplicidad inmanente a la idea, se desdobla en lo inteligible, según la paradoja o la sorprendente ambigüedad de la palabra «sentido» que es, como ya se ha dicho, incluso reclamada por Hegel, cuando en las *Vorlesungen über die Ästhetik* muestra cómo en ella se condensan, en un solo gesto, la perfecta presencia estética y el valor y el significado lógico y moral (sentido de una acción, de una proposición, etc.). Así, si en italiano «fa senso» indica una disposición estática que se refiere a un aversión sensible (por ejemplo, la escalera automática inmóvil), «to make sense» en inglés tiene un valor perfectamente lógico, y, en italiano, si «salato» y «salace» se han desdoblado, «piccante» conserva los dos valores en la misma palabra*. No debe sorprender, entonces, que «tacto» o «gusto», «ojo», «oído» y «olfato» indiquen también una disposición intelectual, la misma que está vigente en la noción de «sexto sentido», que para nosotros es una cualidad casi mediumística, pero que se deriva precisamente de la *koinè aisthesis*.

Precisamente por esto, Shaftesbury –auténtico predecesor de Rousseau, que llamará a la moral «ciencia sublime de

* N. del T.: de la pareja de adjetivos «salato-salace», sólo el primero se refiere al sabor originado por la abundancia de sal. Ambos comparten la capacidad de calificar un comentario, o una respuesta, como mordaz o agudo. Además, mientras el primero tiene como otro significado propio la cualidad de ser caro, el segundo guarda como exclusiva la caracterización de algo como afrodisíaco o libidinoso.

las almas sencillas»– sostiene que, también en moral, la primera impresión es la que cuenta, y que la reflexión es sobre todo madre de estratagemas y maquiavelismos poco honestos. Ya Gracián había escrito que el gusto es el único consejero que jamás nos abandona, y no es difícil reconocer los hechos que preceden a esta posición (que sin razón Bäumler quiere ligar a una peculiar soledad del hombre moderno): el demonio socrático, el «a primera vista» de la experiencia aristotélica, el análogo de la razón en Leibniz y en sus seguidores. Lo claro del conocimiento sensible se conecta con lo inteligible según una trama de orden estético, moral y gnoseológico. Es en esta acepción donde el sexto sentido es retomado por Thomas Reid (1710-1796), que se une a Herbert de Cherbury a la hora de reivindicar el carácter innato del juicio de gusto, cuyas prestaciones pragmáticas ocupan las investigaciones de Henry Home, Lord Kames (1696-1782), cuyo ensayo sobre la crítica tendrá un gran éxito también en Alemania, y precisamente en calidad de tratado psicológico o empírico.

Incluso Kant, que traza polémicamente una diferencia entre sensibilidad e intelecto, vuelve a repetir, en la *Crítica de la Razón Práctica*, que el valor moral de las acciones es claro incluso para un joven de dieciocho años, como en la sentencia de Ovidio (*Metamorfosis* VII, 18-21), y también en la arenga de Al Pacino en *Perfume de mujer*, «en mi vida he sabido siempre qué era justo hacer, y he hecho siempre lo contrario». ¿Qué significa esto? Kant es heredero de una tradición que, de Platón y Juvenal a Rousseau, sabe bien que lo bueno es una intuición, y que es por esto por lo que estamos más inclinados a perdonar a los bellos que a los feos. «Hay algo en él que no me gusta», decimos. Eso que habla en nosotros, evocando lo que para Leibniz será el *nescio quid* como la característica específica del conocimiento sensible, no es el animal, sino el hombre. Ese mismo «a primera vista» que nos lleva a desconfiar de una persona debido a su aspecto, esa misma palabra que nos revela el artificio de un discurso, salta a la vista desde la misma intuición que nos hace reconocer en nosotros, a primera vista, la ley moral, tan clara como claro es el mundo fuera de nosotros. Desde este punto de vista, ese primer momento del juicio de gusto en la *Crítica del Juicio*, que quiere que tal juicio sea al mismo tiempo estético (esto es sensible) y desinteresado (esto es, privado de intereses lógicos, pero también estéticos, y de hecho de los jardines debe gustarnos, para Kant, la forma, no el color ni el olor), es el espía de una contradicción.

En el origen, por tanto, hay una primera vista, la evidencia infalible por la cual se juzga mejor un desfile de moda que una conferencia filosófica. Para comprender de qué se trata, conviene referirse a Francis Hutcheson (1649-1746) que, en *Una investigación sobre el origen de nuestra idea de la belleza* (1726), sostiene que existe un *sentido para lo bello*, sin el que esa evidencia no puede ser entendida, del mismo modo que el oído para los sonidos o la vista para los colores. Expresado exactamente en los términos en que a esta tesis se refiere Croce, es decir, como si se tratase de localizar la parte del cuerpo a través de la cual encontramos bella una cosa, se trata de un absurdo; pero bastaría recordar que ya en Aristóteles el sentido era ambiguo, designando al mismo tiempo perceptor y percibido, para comprender que Hutcheson no delira. El sexto sentido, como sentido de lo bello, claramente conectado con la doctrina de la *koinè aisthesis* y del sentido interno, capta las armonías, o sea, no sólo el placer de los sentidos particulares, sino el de su coordinación, y la uniformidad en la variedad, donde lo estético, es decir, lo perceptivo, viene a unirse, por medio de la armonía, con lo artístico, desde el momento en que la regla de la belleza (sobre la base de Crousaz y de Shaftesbury) es la uniformidad en la variedad. Son las características que volveremos a encontrar en Coleridge, pero que ya han sido vistas en la profunda concepción de Proclo por la que el alma se mira en el espejo del mundo reconociendo allí las armonías –y de hecho, para Hutcheson, ello vale también para la captación de la belleza de teoremas–. Aquí se valora justamente el valor de la reflexión, o sea, el redoblarse de la visión que acontece instantáneamente en el momento en el que, mirando cualquier cosa, obtenemos de ella placer; lo cual no es obvio, ni tampoco sensualista. Si es (aparentemente) fácil explicar que nos guste un alimento, no lo es tanto explicar por qué nos gusta una cara. Que la belleza sea, como quería Stendhal, una promesa de felicidad, no se entiende trivialmente como paso de la potencia al acto, si es que es cierto (piénsese en el soneto *A une passante* de Baudelaire) que el placer de la ocasión perdida no tiene siquiera equivalentes. Hace falta más bien asumir que una gran cantidad de recuerdos y de esperanzas se concentra en lo que tiene la apariencia, y quizá también el tiempo, de un pestañeo.

Presente en los ensayos sobre el gusto de Alexander Gerard (que es también autor de un tratado sobre el genio, esto es sobre el correlato del a primera vista en el plano de la producción) y de Edmund Burke, esta concepción estaba ya en la base de los *Papers* de Joseph Addison sobre los placeres de la imaginación aparecidos en 1712 en el «Spectator», la revista de humanidades diversas dirigida por él junto con Steele, o sea un año después de la primera edición de las *Caractheristics* de Shaftesbury y del ensayo de Pope sobre el genio. Que el placer de la imaginación es el redoblarse de la percepción en el recuerdo, pone fuera de juego el dicho según el cual aquí nos encontraríamos con una evidencia de la imaginación productiva. La imaginación (que, confirmando la vacuidad de la terminología, Addison empareja con *fancy*) goza al ver y después al alterar, al confrontar (el *comparing* de las ideas en Locke o en la Escolástica), al recordar. Ciertamente el placer primario, pero ya idealizado y no por esto mínimamente productivo, se recaba de los objetos presentes, pero no tocados, y se propaga a la retención de imágenes ausentes o a la composición de imágenes ficticias. Que resulten primariamente agradables las «escenas deliciosas, estén en la naturaleza, en la pintura o en la poesía», demuestra que la jerarquía de la presencia, rechazada incluso desde la elección de la visión respecto al tacto, acaba por desvanecerse en el momento en el que la presencia puede ser o bien la del ojo físico, o bien aquella, puramente mnéstica, del ojo del espíritu. Es eso que Addison repite apoyándose en la autoridad del segundo libro del *Ensayo* de Locke, aquél consagrado precisamente a las ideas simples de sensación o de reflexión; y lockeana es también la sistemática de las artes que anticipa la de Schopenhauer (desde la arquitectura a la poesía y a la música, en definitiva de lo visible presente a lo meramente invisible), pero sin que esta jerarquía perceptiva sea válida bajo el punto de vista axiológico. De hecho, la arquitectura es fuente de un placer no menos perfecto en su género que aquél procurado por Homero, Virgilio, Ovidio y Milton, incluso si el carácter idealizante de la memoria, y los placeres secundarios que procura, consigue hacer grata también la visión de lo que, inmediatamente, disgusta porque es feo.

Es siempre más significativa la circunstancia por la que (*Paper* X), entre los autores que se complacen con la imaginación no se encuentran sólo los que crean ficciones (las cuales, por lo demás, son reasociativas), sino asimismo aquellos que siguen más de cerca la naturaleza, como los historiadores, los filósofos naturales, los viajeros y los geógrafos. Se sigue de ello que la imaginación, aquí, no tiene siquiera una cualificación específicamente estética: precisamente de acuerdo con la identificación entre idear e imaginar, Addison sostiene que en este segundo grupo no hay autor que «gratifique y engrandezca más la imaginación que los autores de la nueva filosofía»; y –como en Descartes–, el sumo placer imaginativo es consecuencia de los descubrimientos que éstos han hecho gracias a los lentes. El nexo exclusivo entre imaginación y sistema de las artes está todavía lejos de llegar.

Espíritu y clima

Lo anterior es evidente en Crousaz, que en el *Traité du beau* (1715) afronta cuestiones perceptivas, definiendo las ideas como genéricas representaciones mentales (idea es un círculo, un triángulo, dos decenas, una casa), distinguiéndolas de los *sentiments* (un sabor, un olor), más compactos que las ideas, característica por la que afectan al corazón en vez de al espíritu. Entre idea y sensación se sitúa una diferencia cuantitativa entre psíquico y somático que se apoya, normalmente, sobre la definición de imaginación como retención de lo ausente. Por esto, en la monumental *Logique* (2.ª ed. 1737), se trata de cuestiones estéticas o psicológicas, como la asociación de ideas, los estilos de vida apropiados para la filosofía (argumento que volverá en Helvétius, por no hablar de Nietzsche), y la regla de la belleza, y donde la silogística ocupa un espacio proporcionalmente bastante modesto. Imaginación y sentimiento intervienen en el juicio. Así, las reflexiones críticas sobre la poesía y la pintura de Du Bos (1719, n. Ed., 3 vol., París, 1733) afrontan explícitamente esta temática lógica, y se aplican a una crítica de Malebranche animada no por motivos meramente poetológicos (valor de la fantasía o similares), sino por la repulsa hacia la hipótesis de un pensamiento sin imágenes.

El valor de lo sensible para lo inteligible no es sólo una concesión a la debilidad de la carne, como en el católico Vico o en el pietista Baumgarten –para el cual es necesario redimir la carne del pecado, no de la sensibilidad–, sino que se acompaña al éxito de una antropología mecanicista que transpone al hombre las ingeniosas explicaciones sobre el automatismo animal que Descartes había elaborado con fines antitéticos. El monumento de este clima (y todo se condensa precisamente en la expresión «clima espiritual», que hoy asumimos quizá irreflexivamente) es *L'homme machine* (1747, concluido en el 1748) del médico y filósofo La Mettrie (1709-1751). El mecanismo familiariza al hombre y al animal, y, en vista de que el lenguaje proviene de la imaginación, que se encuentra también en los animales, estos últimos tienen una suerte de lenguaje, proporcional a la economía de su imaginación; como ya hizo Gassendi, La Metrie especifica que se sirve siempre de la palabra «imaginar» porque «tout s'imagine», y que todas las partes del alma pueden ser reconducidas a esta función fundamental, desde el momento que juicio, razonamiento y memoria no son sino especificaciones de esta «toile médullaire» (la acostumbrada imagen de Locke) sobre la que los objetos, dibujados por el ojo, son proyectados a la manera de una linterna mágica. Alma e imaginación son lo mismo, dado que esta última absorbe todos sus papeles: razona, juzga, penetra, confronta, profundiza, y el genio no es otra cosa que una especial agudeza suya. La doctrina de La Mettrie se condensa en un punto crucial del *Homme machine*: ser máquina, y saber distinguir el bien del mal como el azul del amarillo (para Hume los sentimientos morales son intuitivos como los colores), y no ser sino un animal, no es más contradictorio que ser un mono o un papagallo y saber procurarse el placer.

Que la reflexión sea una característica común a hombres y bestias, es por tanto el resultado de una radicalización tanto del mecanicismo cartesiano como de la noción de reflexión sensible en Locke, y viene a rehabilitar la racionalidad animal que, reconocida por los antiguos, había sido desterrada por los modernos. En este proceso son centrales las reflexiones sobre la mímesis, que siendo característica poética fundamental en las *Beaux arts* de Batteux (1756), es principio sobre todo etológico, como se ve fácilmente en el *Traité des animaux* de Condillac, de un año antes. Hombres y animales aprenden de la imitación, y el hombre no es más original por ser menos mimético, sino –al contrario– precisamente la variedad de sus necesidades lo hace infinitamente más imitativo que las bestias. Uno se hace original convirtiéndose en copista, y la razón no es otra cosa que la cantidad de reflexiones que sobrepasa las necesidades de la simple costumbre. Las recientes y muy valoradas consideraciones de Girard sobre el deseo mimético están, por tanto, contenidas en este mundo espiritual: la imitación orienta las estrategias y las estratagemas novelescas de Crébillon y de Laclos; y *Del espíritu* (1759) de Helvétius, libro blasfemo y condenado a la hoguera, condensa este principio diciendo que no hay un gran hombre (paradigmáticamente, Locke) que no haya sido precedido por otros tales, del mismo modo que la imaginación es en efecto invención (esto es ensamblaje) de imágenes, y el espíritu «assemblage d'idées et de combinaisons nouvelles». No sorprenderá que los hombres formados bajo las enseñanzas de este libro pudieran enfurecerse leyendo las *Vidas* de Plutarco, y pensarse a sí mismos como romanos renacidos.

El genio, en el *Essai de psychologie* (1755) del suizo Charles Bonnet, es facultad de abstracción, esto es, de descomposición de un material dado, y precisamente en esto consiste la creación. Aquí uno se opone a la vieja tradición, escolástica y humanística, por la que el *ingenium*, el *Witz*, sería más bien encontrar analogías que se encuentran ya en las cosas, y el *acumen* o *Scharfsinnigkeit* consistiría, por el contrario, en el trabajo de desemejanza. Pero el fundamento es el mismo, ése que ve en el genio una facultad sensible y completamente ajena a una creatividad inspirada, como se afirmará algunos decenios más tarde. Que todavía en Kant, la filosofía, en cuanto es obra del genio, no se aprenda y no se enseñe, muestra cuánto puede la naturaleza apartarse lejos del hombre. Aquí, de hecho, el genio natural revela un origen sensible del mismo espíritu. Poéticos en grado máximo son por eso los orientales y los salvajes, en los que el espíritu es aún íntimamente naturaleza, especialmente si es caliente, o sea, capaz (según la norma del *Espíritu de las leyes* de Montesquieu) de excitar las pasiones; y es sobre este tácito presupuesto donde se entienden las *Indes galantes* (1735) de Rameau o el *Montezuma* de Federico el Grande (1755), deseoso de encontrar en la suerte del desventurado emperador mejicano los tonos de la tragedia griega. En Europa se valoran, en cambio, los caracteres nacionales, y, desde Boileau, que en el siglo diecisiete reprueba la falsa brillantez del marinismo como rasgo idiomáticamente italiano, se llega a la anglomanía de Lichtenberg y de Voltaire, a las preguntas de Hume sobre por qué los franceses aman a los ingleses sin ser correspondidos, a las tipologías de los caracteres nacionales en el vestuario y el arte de Vico, de Baumgarten y Kant. Como el *genius loci,* el espíritu viene de lo sensible, siendo respecto a él, conjuntamente, lo mismo y todo lo contrario. Por esto, cuando Hegel (*Enciclopedia*, p. 548) sostiene que el espíritu de un pueblo es determinado por la historia, por la geografía y el clima, no hace sino repetir el siglo dieciocho.

«Este en mi brazo impreso jeroglífico»

¿Cómo tiene lugar el paso de la naturaleza al espíritu? Los últimos jeroglíficos son las inscripciones de Philae, del 24 de agosto del 394 de nuestra era. Tres años antes, Teodosio había prohibido los cultos paganos, de modo que entre los efectos colaterales de la decisión del pío emperador (que de este modo pretendía hacerse perdonar las matanzas de Tesalónica) tuvo lugar la desaparición de la casta sacerdotal egipcia, que había transmitido la invención que Theut había presentado al Faraón, junto a otras como la aritmética, la geometría, los dados y el tric trac. A la vuelta de pocas generaciones, nadie más supo leer aquellos signos, que cayeron así en una exterminada antigüedad; y como hemos visto, un paradigma hermético difundido desde la tardía antigüedad hasta Bruno y el padre Kircher, vio en los jeroglíficos el depósito de una sabiduría oculta, superior a la de griegos y modernos.

Ahora bien, entre los siglos diecisiete y dieciocho se verifican dos circunstancias concomitantes: por una parte, se abandona –en Wilkins como en Coring, en Bernard de Montfauçon como en Fréret– el mito hermético de una antiquísima sabiduría egipcia; por otra, se intensifican las investigaciones sobre los jeroglíficos, que culminarán con el descubrimiento de Champollion. La tabla cronológica de la *Ciencia nueva* pretende ser opuesta a la de Marsham, y niega a los egipcios tanto la pretendida sabiduría que aparece, entonces, más bien como superstición, como la primacía en la antigüedad. El suyo es un saber lleno de errores, que se acompaña de una moral disoluta, una teología supersticiosa, del mismo modo que la inmensidad de las pirámides concordaría perfectamente con una mentalidad bárbara. La delicadeza, en efecto, es fruto de la filosofía. La sabiduría egipcia, cuando florece bajo Manetón, es bajo el impulso griego, y el *Pimandro* (una de las compilaciones pseudoegipcias del *Corpus hermeticum* tardoantiguo) es una simple impostura. Cerrados en sí mismos hasta Psammetico, los egipcios son, como los chinos, más bien exóticos que no canónicos. Como estos últimos, están aislados y se jactan de una «monstruosa antigüedad», pero presunciones similares de antigüedad son el producto normal de la vanidad de las naciones gentiles, mientras la verdad es que el primer saber fue el de los hebreos, así como hebrea fue la primera memoria histórica. Los egipcios son sólo quintos, antes de los griegos y de los romanos, pero después de los hebreos, caldeos, escitas y fenicios (análogo es por otra parte Brucker en la *Historia critica philosophae* que se publica en el misma época que la *Scienzia nuova terza*: filosofía antediluviana, hebreos, caldeos, persas, egipcios, celtas, etruscos, primeros romanos, griegos). Pero si los egipcios, para estos hombres y en esta específica versión de la *Querelle des anciens et des modernes*, ya no son los depositarios de una sabiduría antiquísima, ¿qué se busca entonces en los jeroglíficos?

«Jeroglífico» equivale a «monograma», como *los indiscretos jeroglíficos*, esto es, los blasones de Lope de Vega sobre los que ironiza Cervantes en los versos preliminares de *Don Quijote*, o como el jeroglífico (una espátula) que, impreso sobre el brazo de Fígaro es, para Da Ponte, signo de su nacimiento ilustre. En el *Avance del saber* de Bacon, antes del arte de la transmisión lingüística, se encuentra una doctrina de las *notae* que aportan significado sin ayuda o intervención de las palabras. Estas *notae* se construyen según dos vías: *ex congruo*, por analogía con el significado (son los jeroglíficos, o los gestos como jeroglíficos transitorios); *ad placitum*, son los *real characters*, que no tienen nada de emblemático, son en sí *sordos* como las letras, y sirven (a la manera de caracteres chinos) como vehículo de comunicación entre personas que hablan lenguas diversas. Aquí el jeroglífico, como esquema, tiene entonces una caracterización puramente gnoseológica, la de una nota que hace conocer la cosa, precisamente a modo de monograma: la hace conocer sin crearla, la hace evidente en dos dimensiones, pero en una forma completa y no verbal. No por esto el jeroglífico es sólo un dibujo, como sustancialmente parece sugerir Bacon diferenciándolo de los *real characters*. Condillac, en el *Ensayo sobre el origen de los conocimientos humanos* (1746), escribe que el jeroglífico no es una pintura, sino «pintura y carácter», en el sentido de en él se usa «una sola figura como signo de varias cosas». Sobre la base de este tropismo, el Diderot de la *Lettre sur les sourds et les muets* (1751) asume que el gesto no testimonia un pensamiento disminuido (como piensa Condillac), sino que puede configurarse como el equivalente de una palabra en sentido pleno. Y en la *Psychologia empirica* (1732) de Wolff, el conocimiento jeroglífico, al que se le dedica un específico y amplio tratamiento, no se opone a un conocimiento semiótico de tipo convencional, sino al verbalismo de la *cognitio simbolica*, que es justamente la que enunciamos solamente con las palabras. En definitiva: entre imagen y *logos* no existe antagonismo, sino complementariedad y dependencia.

Lo que resulta de la doctrina de los siglos dieciocho y diecinueve sobre el jeroglífico, es un testimonio extremo de una plena reversibilidad de lo visual y lo verbal: siguiendo el modelo de Agustín, se hace valer la equivalencia entre *signa* como *verba visibilia* y *verba* como *signa audibilia*. En este sentido, la evolución de la escritura y la de la lengua son normalmente consideradas como paralelos. El equívoco fundamental de los descifradores precedentes, según Champollion (*Grammaire Egyptienne*, 1836), consiste precisamente en haber excluido por principio cualquier valor fonético en los jeroglíficos, ocultándose en ello la circunstancia por la que ellos son «signes ou *lettres*» (la cursiva es de Champollion). Al descuidar este dato, la *Lingua aegyptiaca restituta* del padre Kircher resulta ser claramente fantasiosa, aunque éste comprendió que el copto era la misma lengua que el egipcio antiguo. Tomando un camino medio entre los dos extremos avanzados en épocas diversas por Young (que el jeroglífico fuera sólo alfabético o, al contrario, sólo ideográfico), Champollion asume que en los jeroglíficos son concurrentes *signes d'idées* y *signes de sons*. Con menores conocimientos lingüísticos, en *The Divine Legation of Moses*, aparecido en Londres entre 1737 y 1741, traducido parcialmente al francés por Léonard de Malpeines, con el título *Essai sur les hiéroglyphes des Egyptiens*, en 1744 (y leído por

Diderot, Rousseau, Condillac), el apologista anglicano William Warburton (1698-1779) había configurado un desarrollo paralelo de la lengua y de la escritura: a una lengua arcaica corresponden sonidos e imágenes elementales, a una lengua moderna una escritura más convencional, aunque no necesariamente alfabética. También para Warburton las edades de la escritura son igualmente edades «viquianas» del lenguaje, donde los jeroglíficos corresponden al hablar lleno de imágenes (que vivirá aún en los romanos y en los poetas, a través de los emblemas). Aquí la voz no es madre, sino hermana de la escritura. Contraponiéndose a los que consideraban como separados los orígenes de la lengua y de la escritura, también Vico, en la *Ciencia nueva* (28 ss.), observa que en el jeroglífico, que es al mismo tiempo palabra e idea, se da una convergencia entre filosofía y filología; una reversibilidad que, precisamente, será interrumpida por la adopción de la escritura alfabética, donde el conocimiento de la palabra no asegura la posesión de la cosa.

Esta posición ya no es obvia. Que la escritura pueda nacer con la voz, o sea de la misma articulación que produce el *logos*, parece algo contranatura a Rousseau (1712-1778), que cita como escandaloso el hecho de que en París se comience a adecuar la pronunciación de la palabra «vingt» al modo en el que está escrita. En el *Ensayo sobre el origen de las lenguas*, la lengua del gesto y la de la voz son igualmente naturales, pero la primera es menos fácil y, menos convencional; ella es, como el jeroglífico, un modo para argumentar ante los ojos, y Rousseau se apoya en la autoridad de la retórica de Bernard Lamy, que, sin embargo, dice lo contrario (hablar no es axiológicamente, sino pragmáticamente, superior al escribir). Pero, en su origen, la lengua de los gestos se dirige sólo a las necesidades (y por esto funciona también para los animales), mientras el lenguaje es vehículo del sentimiento. Precisamente aquí se inserta la contradicción que guía teleológicamente todo el desarrollo del *Ensayo*: natural es la lengua de los gestos, que se resuelve en imágenes, y determina el carácter originariamente figurado del lenguaje; *todavía más natural* es, sin embargo, la lengua de los sonidos y de los acentos, que mueve las pasiones y define una vocación originariamente musical del lenguaje. Estas dos series son heterogéneas, puesto que, según Rousseau, el arte del escribir no tiene nada que ver con el del hablar. Desde entonces, toda contestación factual de este axioma, que ontológicamente es afirmación del primado de la presencia, sonará como una perversión susurrada a la humanidad, como cuando Jean-Jacques confiesa que sólo el recuerdo, y no la presencia, le es querido; que las aventuras de Tasso le gustan más que las propias; que de frente a la Mariscala de Luxemburgo, a la que ama, no encuentra nada mejor que leerle *La Nouvelle Héloïse*. Con todo derecho Derrida (1967) ha encontrado todo lo contrario que adiáfora la circunstancia por la que la escritura, concebida como un substituto inerte de la viva voz, se asimila a la masturbación, proscrita en el *Emile* como «dangeroux supplément». A partir de la época de Rousseau, la palabra, como voz de la consciencia y de la humanidad, asume un primado siempre creciente como forma de mediación universal entre naturaleza y espíritu. Es en este punto donde comienza a escribirse el declive de la imaginación, desterrada del papel de mediación y enviada exclusivamente al de vana extravagancia.

Vico y el monograma

En pleno siglo diecinueve, en el *Zibaldone*, Leopardi explica en clave climática tanto la originaria imaginación que convertía a los italianos en activos y filósofos, como el hecho de que, esta imaginación, siendo más rica que profunda, haya sido superada en el curso del tiempo por la de los septentrionales. Pero, prosigue Leopardi, la filosofía nació en Grecia, en Egipto, en la India, y fue transmitida de los árabes a los italianos del Renacimiento. Que ahora la mano haya pasado a Leibniz y a Kant se explica con el hecho de que éstos no son los verdaderos inventores, habiendo sido las grandes innovaciones aportadas por pensadores que en la geofilosofía leopardiana son meridionales: Descartes, Galileo, Newton. Con los instrumentos ahora ya herrumbrosos de Helvétius y de Montesquieu, Leopardi escribe otra vez más la leyenda aúrea de una antiquísima sabiduría italiana, etrusca y sannita, renacida con Pomponazzi, Telesio, Bruno, Vanini, Campanella, Cisalpino, ahuyentada por las hogueras de la Inquisición, y lista para volver, como un fénix, desde Alemania, donde estaba marginada, a la Italia unida y a la Roma sin Papa.

Es difícil no sentir embarazo frente a este desvarío, que nace precisamente con el *De antiquissima Italorum Sapientia* (1710) de Vico, prosigue con *Platón en Italia* de Vincenzo Cuoco (1806) y con *Del primato morale e civile degli italiani* de Gioberti (1843), y se confirma en la prolusión de Spaventa *Della nazionalità en filosofia* (1861): los italianos de los siglos de oro serían un preludio a toda la filosofía europea que desde Descartes llega a Kant, y Vico sería «il vero precursore di tutta l'Alemagna». La elocuencia nacionalista y la insistencia en esos siglos ilustres, traiciona el embarazoso sentimiento nacido de constatar que la filosofía italiana del siglo dieciocho, especialmente en referencia a los temas que son también los de Vico, brilla por su dependencia: el tratado de Muratori sobre la fuerza de la fantasía humana, que fue traducido al alemán, desilusiona a los lectores exigentes, que lo encontraron, con toda justicia, banal; de Antonio Conti se recuerda como mérito la circunstancia de haber mantenido correspondencia con Bodmer y Breitinger, y la de ser traductor de Pope; de Gravina el haber sido maestro no escuchado del poeta cesáreo Metastasio. Por no hablar de los largos centones proporcionados por Cesarotti

(Addison, Pope, Temple, Helvétius, Hume), Beccaria (Condillac), Algarotti (Shaftesbury). En este contexto –que excita la tentación, historiográficamente absurda, de hacer de Vico una flor del desierto– la suerte de Italia es totalmente conforme a la de otras naciones afectadas por la Contrarreforma, como España y Austria, y se reconoce por contraste respecto a otras situaciones en las que la circulación de las ideas no impide una reelaboración original, como sucede en la reutilización de Locke en la cultura de la *Encyclopedia*, o en las síntesis enciclopédicas de la escuela leibnizio-wolffiana en Alemania.

La interpretación de Vico que Croce da en la *Estética* hereda y canoniza el presupuesto nacionalista. Vico ha entendido la naturaleza de la imaginación, que Kant habría sólo entrevisto. En esto, Vico es «revolucionario», y entiende la imaginación y el arte «de modo nuevo». Croce atribuye a Vico el mérito de haber elevado a la imaginación desde la situación de inferioridad, y casi de desprecio, en el que Platón la había confinado. Siendo ya contestable en lo específico de la exégesis platónica, esta tesis aparece plenamente insostenible cuando se tiene presente el tratamiento de la imaginación en el pensamiento antiguo (y especialmente en Aristóteles, respecto al que Croce viaja en espesas tinieblas). Pero también más contestable es la segunda asunción, esto es, que Vico habría reconocido, por vez primera, una naturaleza auténticamente productiva de la imaginación. Ahora bien, para Vico la imaginación es inequívocamente reproductiva: en el *De antiquissima*, se subraya cómo con «memoria» los latinos designaban no sólo el acto del retener el recuerdo de las cosas, sino también la fantasía, y cómo esto depende del hecho de que se «configuren» sólo las cosas que se recuerdan, y se recuerda sólo aquello que se ha captado por los sentidos; precisamente por esta circunstancia Mnemósine es madre de todas las Musas. Retomado en la *Segunda respuesta*, donde también el ingenio es visto como equivalente, para los latinos, de la memoria, el argumento es rebatido en la *Ciencia nueva*: los adolescentes son ricos en fantasía precisamente porque están llenos de memoria, no siendo la fantasía sino «memoria o dilatada o compuesta» (p. 212): esto es, o usada de modo diagramático (el caso particular se extiende a otras ocurrencias, según la conclusión que alcanza Berkeley), o bien se hace valer por reasociación de fantasmas parciales, según la definición de la *phantasia* como recomposición de la *imaginatio*, de marca aristotélica y escolástica, y confirmada, durante los mismos años, en la *Psychologia empirica* de Wolff, o sea, en la obra principal del príncipe de ese intelectualismo que, según Croce, habría sido subvertido por la revolución de Vico.

El «misreading» o, en definitiva, la equivocación se basa en dos asunciones, las dos equivocadas. La primera sería que la imaginación productiva está más ligada a la sensibilidad (cuando eminentemente sensible es por principio la imaginación reproductiva, aunque sólo sea porque retiene la sensación); a su vez, la segunda sería que la imaginación productiva mirada con complacencia por Croce, esto es, «sensible» y no «intelectual», viniera a autorizar un papel trascendental de la sensibilidad contra las abstracciones inhumanas de los alemanes. Pero que la intuición preceda, en la experiencia, al intelecto, no es una concesión empirista de Kant ni una invención o un adelanto trascendentalista de Vico, sino un dato de sentido común largamente recibido en el dieciocho. Sería por tanto equivocado traer hipótesis de adelanto, por ejemplo, desde una comparación fácil para todos, la que se da, pongamos, entre la conclusión de la doctrina de los elementos de la *Crítica de la Razón Pura* («todo conocimiento humano comienza con intuiciones, pasa a conceptos y concluye con ideas») y la sentencia más famosa de la *Ciencia nueva* sobre el ánimo perturbado y conmovido en camino hacia la mente pura. Aquí no se trata de un silencioso diálogo entre grandes, sino de la elaboración de un tema, obvio para el sentido común y la experiencia, y corriente en la época: bajo las tres fases, la del sentir sin advertirlo, y de allí a la del advertir con ánimo perturbado, por tanto al reflexionar con mente pura, no tenemos nada más que la sucesión de percepción, apercepción y reflexión, sucesión que puede tranquilamente hallarse en Leibniz o Wolff y, anteriormente, en Malebranche, Descartes, Aristóteles, etc.

Sería particularmente inútil buscar después un anticartesianismo en Vico, tanto más cuando cartesianas y malebranchianas son las *Orazioni inagurali* del decenio 1699-1709, y que esta posición se ve integrada solamente por el *De nostris temporis* (1708) primero, por Bacon, por Locke y por el maestro de este último, Willis. Una contraposición podría darse sólo si se dibujase un Descartes enemigo de la imaginación, lo cual no es real. Al interés del joven Descartes por la *inventio*, la memoria y la tópica, se ha hecho ya referencia. Por otra parte, también teniendo en mente el Descartes maduro, se encuentra que el punto crucial de su proyecto, o sea que la ciencia es construcción, concuerda justamente con lo esencial del proyecto de Vico, esto es, que la verdad y el hecho convergen. En la segunda *meditación* Descartes desarrolla un argumento muy similar al de Vico: precisamente porque todo conocimiento nace de una construcción, nada me es más fácil de conocer que el *cogito*. Nada, como diría Hegel, es más concreto (sin por ello ser fácil) que el conocimiento del espíritu, y nada es más abstracto que aquello que simplemente está ante mí, por ejemplo la naturaleza. Aquí se abre la necesidad de distinguir entre una construcción divina, donde el pensamiento es creación, y una humana, que puede ser constructivista en la matemática como en la poesía, pero no lleva hasta la existencia de las cosas (como sería en cambio posible precisamente para el intelectualismo de Descartes y de Leibniz, que asumen la congruencia del argumento ontológico).

Sobre este punto, es iluminadora la enunciación de la convergencia entre verdadero y hecho que viene propuesta por Vico en el *De antiquissima*, al inicio del libro primero, dedicado con justicia al geómetra Paolo Maria Doria, que en 1718, con sus *Diálogos*, valorará precisamente la geometría sintética, o sea constructiva. Según Vico, conocer es siempre construir, y entre el conocimiento divino y el humano no hay sino una diferencia: el primero entiende (es decir, intuye), conoce tanto los elementos extrínsecos como los intrínsecos (léase: los esquematismos patentes y los latentes que instruyen la esencia y el conocimiento de la naturaleza, en la caracterización que Bacon había proporcionado en *De augmentis* en el *Novum organum*), y entonces conociendo crea, esto es, produce un conocimiento sólido (tridimensional) de las cosas, operando como un «plasmar en relieve». El Dios de Vico es cercano aquí al demiurgo de Platón, que en el *Timeo* plasma a tres dimensiones sirviéndose de un material amorfo, de un *ekmagheion.* El conocimiento humano, en cambio, es discursivo, comprende sólo los esquematismos extrínsecos; por esto, en relación con la tridimensionalidad divina, «lo verdadero humano se parece a un monograma, a una imagen plana, casi a una pintura».

«Monograma» es justamente el nombre que Kant dará a los esquemas por los que el tiempo se hace espacio, y el sentido interno se proyecta en el externo; y el espejismo de la tercera dimensión, donde el monograma se hace holograma, está siempre en el horizonte del pensamiento kantiano, para imponerse con el idealismo trascendental. Pero el constructivismo es también un punto capital en Vico, que se encuentra en la base del diseño entero de la *Ciencia nueva*, y que además orientaba la limitación de la fuerza del método geométrico en la física en el *De nostri temporis*: aquello que en el ámbito de la demostración geométrica (en cuanto constructo humano) es plenamente conforme con la verdad, en el del estudio de la naturaleza se convierte en abusivo. Al moderar las pretensiones del constructivismo humano, Vico se enlaza con Platón, que, como se ha visto, reclama frecuentemente la atención sobre el hecho de que la pintura es muda: las imágenes pintadas parecen vivas, y desearías darles la palabra, pero cuando les preguntas mantienen un majestuoso silencio. En esto son iguales a la escritura, a la que nos dirigimos para aprender, pero que, interrogada, nos responde siempre y solamente *una* cosa: o sea, no sólo (como es propio de la *doxa*, sino también de la *episteme*) nos envía una imagen; sino que sólo nos envía una, o sea presenta, justo como la proyección sobre una superficie plana, sólo un aspecto. El punto es precisamente éste: a la imagen no le falta sino la palabra, o sea la existencia y la vida; ella es una proyección sobre dos dimensiones, no sobre tres. No se puede distinguir el constructo mimético humano de la obra del demiurgo sobre la base de la mímesis (desde el momento que también las cosas buenas del mundo son imitaciones de las ideas) ni sobre la base de una doctrina de la representación, desde el momento en que ya sea de una cosa cierta como de su dibujo, tenemos sólo una imagen. La verdadera diferencia es que el producto demiúrgico es tridimensional, puede ser mirado desde más puntos de vista, dando vueltas a su alrededor, por ejemplo, mientras de la pintura nos muestra sólo una perspectiva. Es la diferencia entre la cama *ente physei* y la pintada sobre la que se apoya la condena de la mímesis en la *República* (598 a-b): ciertamente ambas son imágenes (y, por lo demás, ha sido visto, la misma idea es *eidos*); pero la una es sólida, la otra plana.

La parábola de la estética

Croce ve la concomitancia entre Vico y Kant, pero su toma de partido le empuja a hacer de ella, en vez de un producto de la época, un diálogo silencioso e improbable entre grandes, que se especifica en una contraposición entre el ingenioso y el serio: o sea entre la flameante fantasía del napolitano y la flema del «severo filósofo empírico-crítico de Könisberg». Dentro de ciertos límites, la lógica del medallón predicada por Croce es indispensable, pero vale sobre todo para la historia literaria; es menos indispensable en la historia filosófica, especialmente cuando se transforma en deliberada hipóstasis que, con dos retratos en pie, relega al fondo a una galería de pensadores de grandeza. Sufriendo las consecuencias de esta conducta encontramos, por ejemplo, a Christian Wolff (1679-1754), maltratado ya por Hegel, pero que Kant pone al mismo nivel que Locke, Hume y Berkeley, diciendo que en la realización del futuro sistema de la metafísica hecho posible por la crítica, «un día no podremos sino seguir el método riguroso del célebre Wolff». Discípulo original de Leibniz, él pasa, y no sólo a los ojos de Croce, por ser el teórico de la doctrina, absurda, de que lo que no es contradictorio es posible y que lo posible es real; se le despacha, en definitiva, por el Pangloss del *Candide* de Voltaire. De hecho, los límites del conocimiento superior, que estimula la asemántica huella del «racionalismo», son dados por una fuerte atención al conocimiento sensible, o sea, por lo empírico, sea en el sujeto (acentuación de sus límites gnoseológicos y fisiológicos) sea en el objeto (acentuación del conocimiento experimental). Desde esta premisa, parece en cualquier medida sorprendente que un proyecto enciclopédico en dos series (primero en alemán, después en latín), tan extenso como para contener incluso un tratado sobre los fuegos artificiales, no haya dado espacio temático a la estética (a la que antes Wolff juzgó, al aparecer las obras de Baumgarten y de Meyer, como «chapuza»).

No por esto Wolff es indiferente al problema que será de Baumgarten, el del conocimiento sensible y el de sus formas específicas. El análisis de la parte inferior y sensible de la gnoseología (la que en Baumgarten se convertirá, autonomizándose, en gnoseología inferior) tiene un valor al mismo tiempo psicológico y lógico, y se polariza en la tematización del *analogon rationis.* El análogo, que conecta los hechos, es conjuntamente la verificación de la razón y su límite inferior; se empuja hasta donde encuentra a la razón, que, por su parte, no tiene límite superior, siendo infinita. Pero ya que entre lo inferior y lo superior hay un progreso gradual –la famosa *lex continuitatis,* que nace precisamente de las especulaciones de Locke y de Leibniz– en este examen no nos conformamos solamente con un instrumento de verificación, sino, justamente, con lo que, sin solución de continuidad, se resuelve en la razón. Las formas del análogo sensible de la razón son todas caracterizadas por la retención (*Psychologia empirica,* pp. 92 y ss.; *Deutsche Metaphysik,* pp. 235-267, y anotaciones relativas): la *imaginatio* retiene, la *facultas fingendi* combina (es decir, tiene el oficio de la fantasía, como división y composición de fantasmas), la memoria es retención consciente, la reminiscencia es la búsqueda intencional de la memoria. Son las formas antes canonizadas por los *Parva naturalia,* y afrontadas gnoseológicamente en los *Analíticos posteriores.* Aquí la enseñanza aristotélica y sensitiva llega a sus últimas consecuencias: en el culmen se encuentra de hecho la reflexión, primer escalón de la cognoscitiva superior. El problema de Wolff es entonces en qué modo el orden vinculado de la naturaleza puede convenir con el orden libre de la gracia; pero el paso en la serie natural y el paralelismo entre naturaleza y gracia es hecho posible precisamente por el recurso idealizante inmanente a la imaginación. La diferencia entre una impostación de este género y la de, digamos, Locke, está en el hecho de que más que de una génesis de lo espiritual desde lo material, se trata de una conveniencia armónica. En otros términos: puede darse una explicación completa del tránsito de lo sensible a lo inteligible a través de la idealizaciones imaginativas; ésta queda, sin embargo, como una explicación del fenómeno, que no capta la esencia metafísica de las relaciones entre naturaleza y gracia.

Son caracterizaciones ampliamente aceptadas, pero la cuestión de los dos órdenes y de la armonía preestablecida cae progresivamente en la oscuridad. En el compendio wolffiano de Thümming (1725-1726), el primero, el más completo y aprobado por el interesado, la imaginación es retención, como se comprende de la jerarquía de imaginación, memoria, reflexión, juicio intuitivo y discursivo (*conclusio*), de modo que sentidos, imaginación y memoria bastan para la formación de los juicios intuitivos. También en la *Introductio in artem inveniendi* (1742) de Joachim Georg Darjes, que propone correcciones empiristas al wolffismo, el análogo de la razón es llevado muy hacia delante en la constitución del concepto. Así también en Formey, que entre 1741 y 1753 populariza la filosofía de Wolff al modo del newtonismo para damas, haciéndola exponer, en francés, por una imaginaria joven berlinesa, Espérance, ferviente wolffiana. No sorprenderá que para Deschamps, autor de un curso de filosofía wolfiana en modo epistolar (1741-1743), el problema sea el de distinguir al hombre del animal, y Wolff de Locke, ya que la misma *ars inveniendi* es clasificada entre los hábitos. Si esta valoración de la sensibilidad no se dirige rápidamente a la formación de una estética, no es culpa tanto del hecho de que se de poca importancia a la imaginación, como más bien del motivo, auténtico, por el que las funciones retentivas e idealizantes tienen un papel tan amplio en el plano de la lógica.

Precisamente aquí se roza con la mano el vacío insolente de una noción como «racionalismo», y de su correlato, el empirismo. ¿Puede verdaderamente pensarse que sólo nosotros nos damos cuenta de la existencia de la realidad, y que muchas personas ingeniosas hayan calumniado la sensibilidad, tomando partido por y con el apoyo de doctrinas quiméricas? En la historia de la estética, Gottsched (1700-1766), «inmenso y cándido pedante» (Mittner), traductor del *Dictionnaire* de Bayle, autor de una *Poética crítica* (1729-1730) sobre bases wolffianas, y después de un léxico de poética, es situado entre los racionalistas, esto es, entre los malos, porque de la exigencia de una imitación de lo racional natural viene el contraste con Bodmer (1698-1783) y Breitinger (1701-1776), que en cambio teorizan sobre el primado de la imaginación en el sentido de la *facultas fingendi.* Esta disputa, que apasionó al siglo dieciocho alemán, y cuyas huellas se conservan en *Dichtung und Warheit,* es en realidad una disputa entre wolffianos que comparten los mismos presupuestos de fondo.

Entre 1721 y 1723, Bodmer y Breitinger habían escrito *Die Discourse der Mahlern,* con pretensiones tanto poetológicas como de literatura de comportamiento, dedicándolos a Addison como exponente de una nación que se distingue por el «fuego de la imaginación». El discurso XXI de la tercera parte tiene una importancia especial en una obra que se sitúa bajo el lema de la equivalencia horaciana entre pintura y poesía. Razonando los orígenes del consorcio de artistas entre los que se mantienen los discursos, se justifica la idea de llamarse, por elocuente sinécdoque, «pintores», porque toda cualidad del pintor espera al escritor, y no en sentido metafórico, donde se considera que el escritor (hablando en estilo cartesiano) pinta en la imaginación de los lectores ideas, esto es, figuras o imágenes de las cosas. Es en esta valencia donde se concibe la imaginación en el famoso ensayo *Von Einfluss und Gebrauch der Einbildungskraft* (1727), en esta ocasión escrito sólo por Bodmer, dedicado a Wolff y dedicado a confrontar con Leibniz a Muratori, Calepio, y quizá Vico. A más de una generación de distancia, Sulzer, wolffiano y en relación con Bodmer y Breitinger, hombre «ilustre y profundo» para Kant, ilustrará la creatividad de la imaginación sobre la base de la asociación de ideas, o sea de la reagregación libre. Lo que se encuentra aquí es la misma situación observada en Vico, por la que el carácter retentivo de la imaginación no tropieza con el constructivismo desde el momento en que de lo viejo se trae lo nuevo, según una intención expuesta, con referencia específica a la imaginación geométrica y poética, en los *Philosophische Versuche* (1776) de Tetens, que son una de las fuentes de la doctrina kantiana de la imaginación.

Alexander Gottlieb Baumgarten (1714-1762) es, en este contexto, el fundador de la estética, y no sólo su bautista inconsulto. Y lo es, no ya yendo más allá de Wolff, como pretenden Bäumler sobre bases kierkegaardianas (vanidad de la abstracción y crisis de la razón) y Croce sobre bases herbartianas (el mito de la autarquía sensible de la fantasía). Aquél continuará después alabándo a Wolff hasta en su última obra (dedicada específicamente a la lógica wolffiana), pero valorando ulteriormente a Leibniz. Éste, en las juveniles *Meditationes de cognitione, veritate et ideis* (1648), había capitalizado la circunstancia por la que la claridad no coincide plenamente con la distinción, tanto que un pintor sabrá decir con claridad si un cuadro es bello o feo sin saber enunciar distintamente el porqué. La claridad es justamente el dominio de la estética, de la que se ven bien los valores lógicos, en el sentido que, con la misma importancia que la distinción, interviene en el juicio y en la crítica. No demasiado remotamente, la base de tal postura es precisamente ofrecida por la reflexión de marca aristotélica sobre el análogo de la razón como su límite inferior, y, si Tonelli ha hecho del aristotélico padovano Zabarella un precursor de Baumgarten, con toda justicia puede también notar que la tipología de la imaginación en el léxico filosófico de Goclenio distingue, apoyándose en el *Organon* y en los *Parva naturalia*, una imaginación confusa e inconfusa, lo cual se introduce directamente en la clasificación propuesta por Leibniz ciento cincuenta años después (que dividía los conocimientos en oscuros y claros, y los claros en confusos y distintos).

La estética se cualifica por tanto como un análogo de la razón, que aparece, junto a la teoría de las artes liberales, a la gnoseología inferior y al arte del buen pensar, entre caracterizaciones de esta ciencia de la cognición sensible, en el primer parágrafo de la *Aestetica* baumgarteniana, cuyo primer volumen es de 1750, seguido por un segundo en 1758. Allí la estética es, junto a la lógica, parte de la gnoseología, que es preámbulo de la metafísica, la cual a su vez tiene por objeto todas las cualidades de las cosas cognoscibles sin la fe. Objeto eminente de la estética es en cambio la belleza, porque lo bello (en la naturaleza o en el arte, pero sobre todo en el pensamiento, según lo que leibnizianamente es llamado *horizonte* estético) condensa en sí la máxima claridad extensiva, o claridad según la *aisthesis* diferente de la claridad intensiva, esto es distinta, y según la *noesis*, perseguida por el sabio (*Metaphysica*, p. 637). El principio es aquel afirmado por Leibniz en los *Nouveaux essais*: el animal comprende más individuos, el hombre más ideas; el primero tiene más extensión, el segundo, que de los ejemplos recaba formas generales, más intensión. Esto sin embargo significa que ya en la extensión se tiene conocimiento. En este valor intuitivo y autónomo de la belleza reconocemos los rasgos del *ekphanesthaton* platónico, de aquello que es manifiesto de modo máximo a los ojos del cuerpo. Y no obstante, precisamente porque no se trata de una representación sensible de la idea, lo bello no es una función acéfala, sino que justamente se sitúa en el culmen del *analogon rationis* en su autónoma potencia cognoscitiva. Si, todavía en la *Metaphysica*, se observa la progresión de las facultades que componen el conocimiento inferior, encontramos precisamente los sentidos, la *phantasia* (que, por tanto, vale por la *imaginatio* de Wolff), la perspicacia, la memoria, la *facultas fingendi* (que vale entonces como la *phantasia* escolástica), la previsión (desde el presente impregnado con el pasado nace el futuro), el juicio, la *praesagitio* (imaginar cosas que vendrán en el futuro: *providentia*), y la facultad característica.

Si se considera que, en las *Lecciones de estética* hegelianas, el estudio de una disciplina tal se justifica porque el arte (y «obviamente» no lo bello de naturaleza) es obra del espíritu, hay que preguntarse si allí la belleza goza de mayor o menor consideración. Indicativa de la transformación, que en sustancia es una hipostatización, es la precisión de Herder en los *Kritische Wäldchen*: la estética no tiene que ser *ars pulcre cogitandi*, sino *scientis de pulcro et pulcris philosophice cogitans*; o sea ciencia filosófica de lo bello, que tiende a polarizarse en el arte bello, y no arte del bien pensar. Hay que notar a propósito de esto que incluso desde Georg Friedrich Meier (1718-1777), el más afortunado de los alumnos de Baumgarten y sin razón considerado su simple remedo, el ámbito del conocimiento confuso, pero capaz de sus peculiares perfecciones, se había superpuesto exactamente al de la producción y fruición artística: así en el segundo volumen de las *Anfangsgründe der schönen Wissenschaften* (1748-1750), que capitalizan los cursos de Baumgarten, pero poseen también un desarrollo autónomo, se lee que la razón nos hace comprender si las cosas son perfectas o imperfectas, el gusto define en cambio su belleza y la fealdad; el hombre de gusto es ya el crítico literario. Igualmente, en la tipología de las interpretaciones propuesta en el *Versuch einer allgemeinen Auslegungskunst* (1757) –monumento, con Chladenius, de la hermeneútica del dieciocho– Meier contará la racional, la lógica y erudita, la filosófica, la sensitiva y la estética, donde «estética» (distinta de «sensitiva») se usa en el sentido (históricamente degradado y gnoseológicamente degradante) en el que lo usamos nosotros.

Antes de pasar a la última estación de esta historia, es útil una reflexión. No hay que sorprenderse si la historiografía sobre la estética es más fantástica que su materia: hay quien la hace comenzar con los griegos (pero en forma innominada), hay quien en cambio con lo «moderno» (renacentista o romántico). Esta segunda elección es prevalente, aunque no está exenta de inconvenientes y de contrasentidos, ya que se trata de explicar a qué título, por ejemplo, Baumgarten puede citar a Aristóteles, Horacio y Boileau como autoridades disciplinares. Por este camino, poner por escrito la historia de la estética comenzando por los griegos y por los romanos, se reduce necesariamente a la historia un poco desequilibrada (cuyo único equivalente posible es el mesianismo) de 2.300 años de historia, de poco más de medio siglo de vida (de las *Meditationes* de Baumgarten a la *Critica del juicio*) y de un terreno vago y póstumo que viene después, entre la romantización del mundo, el mundo convertido en fábula y, al contrario, Hegel asesino del arte.

El defecto está en el guión. Es absurda la leyenda de una estética bautizada por Baumgarten, fundada por Kant sobre base «trascendental» (aquí el abuso del nombre oculta de mala manera la oscuridad de la cosa), y perfeccionada por Hegel tan bien como para asesinar el pretendido objeto, el arte. Para Baumgarten los sentidos juzgan, por tanto, en la belleza hay pensamiento, y sobre esta base se justifica una ciencia del conocimiento sensible. Para Kant, los sentidos no juzgan, por la óptima razón de que no piensan, por tanto una estética en el sentido de Baumgarten es una pura contradicción en sus términos. Para Hegel, la belleza se salva no porque sea la perfección del fenómeno, sino porque es la apariencia sensible de la idea, y se restringe por ello al ámbito en el que el juicio humano puede sedimentarse en obra. No hay continuidad, ni siquiera en el nivel de los problemas, excepto aquel, generalísimo, de si es decoroso enseñar estética en la Universidad. La continuidad se reconoce más bien a otro nivel, el de la imaginación: para Baumgarten, se ha visto, es el análogo de la razón; en Kant, precisamente a través de la radicalización de la hetereogeneidad entre sensible e inteligible, se hace claro que, a causa de la insensatez de los sistemas de explicación del comercio del alma con el cuerpo, la mediación no se busca en la razón que se mira en el espejo de su análogo, sino en una fuente común de sensiblilidad e inteligibilidad, que se supone pero no puede ser encontrada. Y la filosofía de Hegel es el despliegue sistemático de lo que para Kant queda como un misterio situado en las profundidades del alma humana –el misterio de cómo, precisamente, una facultad que aparentemente está situada entre lo sensible y lo inteligible puede permanecer como fuente de ambas.

IV

Siglos XIX y XX

Esquemas y huellas

Según Kant, los leibnizianos, precisamente a causa de su intelectualismo, asumirían que la distinción entre sensibilidad e intelecto es sólo lógica, mientras que, por el contrario, es real. De modo que para aquéllos la sensibilidad sería sólo carencia (de claridad), mientras, por el contrario, resulta ser una facultad positiva autónoma. La complementariedad entre la crítica de la razón, o sea la lógica, y la crítica del gusto (esto es, la estética) es por tanto recíprocamente exclusiva: de la primera se sabe qué no debe ser la segunda; es el mismo motivo por el que, en la *Lógica* (Introducción, p. V) se distingue entre dos formas de perfección que son en realidad absolutamente antitéticas: la perfección lógica es objetiva, intelectual y científica; la perfección estética es subjetiva y sensible. Sobre todo, debe tenerse en cuenta que la crítica del gusto es algo diferente de la estética trascendental. Cuando, en la nota al párrafo 1 de la Estética Trascendental de la *Crítica de la Razón Pura*, Kant se preocupa de hacer notar que sólo los alemanes continúan llamando «estética» a lo que, más correctamente, en el resto del mundo se le llama *crítica del gusto*, lo hace para subrayar la incompatibilidad entre una reflexión *a posteriori* sobre las obras y una determinación trascendental de la sensibilidad. Esta singularidad viene confirmada en más lugares, y en particular en la primera introducción a la *Crítica del Juicio*, donde se sostiene que la estética, en sentido propio, es sólo la doctrina de aquella intuición que suministra materiales para los juicios lógicos objetivos, y no la crítica subjetiva de las sensaciones; y donde, por otro lado, se ratifica la inadecuación de la contraposición entre intuición y concepto como la existente entre confuso y claro, debiéndose, en cambio, hablar de conceptos (confusos y claros) e intuiciones (confusas y claras). Esto es así porque, según la elocuente afirmación del párrafo 15 de la tercera *Crítica*, si se quisiera llamar estéticos a los conceptos confusos nos encontraríamos con un intelecto que juzgaría de modo sensible: o sea, se restablecería la *lex continuitatis* entre lo sensible y lo inteligible.

Por tanto, entre sensibilidad e intelecto no hay progresión continua, sobre todo si se pretende entender (como en la práctica hacen los leibnizianos) la sensibilidad como el nombre genérico de lo *a posteriori*, y el intelecto como el nombre de lo *a priori*. Pero la distinción no es para Kant de carácter lineal, sino más bien transversal. El intelecto dispone de sus propias formas lógicas *a priori* (las categorías), así como las tiene la sensibilidad, que dispone *a priori* de espacio y tiempo. Cada uno de estos dos ámbitos son perfectamente anteriores a lo empírico, pero resultan también cognoscitivamente muy pobres, precisamente en la medida en que los conceptos (y las dos formas *a priori* de la sensibilidad, el espacio y el tiempo), cuando no son utilizados por conceptos de la experiencia, están vacíos. El verdadero escollo ante el que la filosofía crítica corre el riesgo de naufragar en el idealismo, consiste en la aplicación, en el propio acto –al mismo tiempo lógicamente espontáneo y estéticamente pasivo–, por el que los objetos llenan las categorías y las formas *a priori* de la estética.

En cuanto a las formas de la estética trascendental, el problema no resulta grande, desde el momento en que no es tan difícil pensar en un espacio y un tiempo llenos, sino que, justo al contrario, lo arduo es representarlos *estéticamente* como vacíos (mientras en lo que se refiere a la lógica, el asunto no presenta dificultad de ningún tipo: todos comprendemos perfectamente qué es un espacio puro, del mismo modo que entendemos lógicamente qué es un polígono de mil lados). Más complicado es el problema de la aplicación en lo que se refiere a las categorías, en cuanto conceptos puros del intelecto, y también en lo que afecta a los conceptos empíricos. La palabra «perro» (que es un concepto empírico, no teniéndose por tanto ningún concepto de «perro» antes de la experiencia), así como la palabra «causalidad» (que es un concepto puro del intelecto que precede a la experiencia haciéndola posible: experimentamos unas causalidades factuales porque, a diferencia de lo que piensa Hume, la categoría de la causalidad precede a la experiencia) no se parecen en nada a un perro auténtico y particular, o a una causalidad cualquiera, por ejemplo a la fuga del perro a la vista de un bastón. Para que un concepto lógico pueda subsumir, es decir, comprender, situar dentro de sí de modo que se llene, un objeto que le corresponda –desde el momento que, por ejemplo, un bastón no corresponde a un perro–, es necesaria una disposición intermedia.

Esta mediación es para los conceptos empíricos un ejemplo, y para los conceptos puros un esquema: un ejemplo de perro me permite unir el nombre a la cosa, así como el esquema común a muchos tipos de causalidad (pero en última instancia a una sola, si se hace valer el ejemplo como diagrama) me permite aplicar las categorías. Aquí sin embargo el problema es doble: por una parte, los conceptos empíricos no son *a priori*, y de hecho nada prohibe pensar que el concepto de perro se derive por abstracción de uno o más perros empíricos, precisamente como *general idea* o como diagrama. Pero entonces, en el caso específico, es difícil excluir una *lex continuitatis* y un origen del concepto lógico situado en el *eidos estético.* Por otra parte, los conceptos puros, de los que puede afirmarse su aprioricidad, por ejemplo con el argumento leibniziano según el cual nada hay en el sentido que no estuviera antes en el intelecto, resultan aún más difíciles de aplicar a la experiencia, a menos que se les desee asimilar a los conceptos empíricos, lo cual haría caer la distinción que Kant reivindica.

Pero, lo hemos visto hace poco, Kant habla de *ejemplos* a propósito de los conceptos empíricos, y de *esquemas* a propósito de los conceptos puros. Todos los argumentos que han sido desarrollados anteriormente sobre la función diagramática del ejemplo, hacen que esta distinción no sea tan pura como cabría desear, pero Kant propone una diferenciación por la que el ejemplo, o la imagen, es un producto de la imaginación reproductora, que capta un *eidos* y lo mantiene en la intuición incluso sin su presencia, mientras, por otra parte, el esquema sería un producto de la imaginación productiva, que *construye a priori* un concepto en la intuición: la imagen es un dato, el esquema es un constructo no icónico (una huella) que vale como regla para aplicar el concepto puro a la intuición. Antes de ver una causa particular, yo dispongo de un esquema de la causalidad que me permite reconocerla. Este esquema no se obtiene del mundo, sino que es, por así decirlo, fabricado por el intelecto, que se procura por sí mismo las *formas* (no por casualidad icónicas, desde el momento que se trata de una modulación del tiempo y no del espacio: a A le sigue B: causa; A permanece en el tiempo: sustancia; etc.) de la propia aplicación.

Cuando habla de esquemas y de construcción, Kant tiene presente el papel de las matemáticas como modelo, que valen para él no como un instrumento de cálculo, sino como un poderoso mediador entre estética y lógica. Tales de Mileto, según Kant, reconoció en efecto las propiedades de un triángulo no a partir de una figura empírica, por ejemplo algo triangular que se hallase en el mundo, sino construyéndolo *a priori*, o sea representando *a priori* sus conceptos lógicos en la intuición. El triángulo del protogeómetra es la representación inmediata e independiente de cualquier experiencia de propiedades *a priori* que aquél, hablando con rigor, no conocía antes de la construcción que se le ha hecho evidente de modo intuitivo. Tenemos aquí, por tanto, el caso de una construcción *a priori* dotada de plena evidencia estética (hasta tal punto que en la *Disertación* de 1770, Kant hacía de la geometría el paradigma estético por excelencia). No obstante, el modelo constructivista, incluso si se prescinde de la oscilación entre lógica y estética que atañe a las matemáticas (que en la *Crítica de la Razón Pura* representa, en cambio, un eminente paradigma del conocimiento racional), no puede ser transferido por completo desde las matemáticas a la filosofía por un motivo sustancial, que se encuentra en la base de la crítica kantiana a la tentativa de los leibnizianos de derivar del principio de no contradicción el principio de razón suficiente, y de este último la existencia. Las matemáticas, de hecho, pueden construir lo irreal, o sea lo meramente posible; y Kant, que también la define como ciencia soberana, especifica que sus conceptos no constituyen conocimiento: éste comienza realmente cuando, en una ocasión ya no matemática, sino filosófica, uno se empeña en conocer lo real. ¿Pero cómo puede la filosofía representar *a priori*, con el fin de aplicar en la experiencia los esquemas, sin caer en el Empirismo, que convierte en inútil el *a priori*, o en el Constructivismo, que no distingue entre lo posible y lo real?

Acordémonos de las prestaciones fundamentales que ofrecía la huella: la inscripción es pasiva y sensible, pero en ese momento es activa e idealizada. En este sencillo evento perceptivo, encontramos la respuesta a las exigencias que Kant se está haciendo en lo referente a la mediación de dos órdenes, a los que ha reconocido su hetereogeneidad mejor que sus predecesores. Con toda justicia se ve en el párrafo 24 de la Deducción en la segunda edición de la *Crítica de la Razón Pura* (1787), un principio de esquematismo: para ilustrar de qué manera los conceptos puros del intelecto se armonizan con las intuiciones sensibles, Kant se ve inducido a mostrar, sucintamente, en qué consiste un esquema. El corazón del párrafo se encuentra en la definición, aristotélica y de modo más próximo wolffiana, de la imaginación como posibilidad de retener la huella del objeto incluso sin su presencia en la intuición. No hay que sorprenderse. El origen de la síntesis, ¿no se encuentra quizá en este elemental acto de retención, de hecho ya operante en la percepción, por el que el percepto es conservado como *eidos* (no importa que sea icónico o no icónico)? Desde aquí, en un proceso regresivo, se llega a las síntesis superiores, la figurada y la intelectual, donde la segunda, que sin embargo es primera en el orden natural, no sería sino la función lógicamente presupuesta por la primera; del mismo modo que, por ejemplo en Aristóteles, se hace necesaria una función unificadora que reconduzca a un solo fenómeno las imágenes que nos vienen de los dos ojos, y a un solo sonido los ruidos que nos llegan de los dos oídos.

En particular, la relación entre la síntesis figurada y la síntesis intelectual, sobre la que Kant se muestra más bien evasivo, se comprende teniendo en mente el doble aspecto bajo el que se puede considerar una línea. Primero: como representación externa y figurada del tiempo, según una imagen que aparece por dos veces en el párrafo 24, además de en otros diversos lugares de la Primera *Crítica*: si la consideramos positivamente como línea, tendremos el espacio. Segundo: si, al contrario, nos fijamos sólo en el acto de la síntesis sucesiva de puntos, tendremos el tiempo. Es cierto que el tiempo representa, no menos de lo que lo hace el espacio, una forma de la intuición sensible. Pero su carácter no icónico viene bien para mostrar cómo el mundo invisible de la lógica necesita de una figuración estética, según una traducción que, efectivamente, puede realizarse sin por ello concluir en una identificación o una continuidad entre estética y lógica. Así es como –llegando de modo más preciso a la relación entre lo estético y lo lógico– sucede en el nexo entre lo figurado y lo intelectual: se trata en los dos casos de prestaciones de la síntesis, es decir, del acto retentivo que encuentra su posibilidad en la imaginación reproductora, o sea en la pura potencia de retención. Si se mira aquello que objetivamente se retiene, se tiene la síntesis figurada; si, al contrario, se mira al acto que hace posible el retener, se tendrá la síntesis intelectual. Pero esta posibilidad de retención, que Kant asigna al intelecto, es lo que del mismo modo podría hacer referencia al sentido. La deducción, y el esquematismo que de ella se deriva, se revelaría aquí como la otra cara de la retención sensible que opera en la *aisthesis* y en el *koinòs* que lleva consigo.

Puede aplicarse esta misma consideración a la división sucesiva que, en el contexto de la síntesis figurada, se da entre una imaginación productiva y una imaginación reproductora. Si la productividad de la imaginación consiste en sintetizar, ella no sería sino el *anverso* o el *reverso* de su reproducción: el poder de retener incluso sin la presencia en la intuición es sin duda un poder, pero esto no quita para que un recurso sintético fundamental como ése sea *el mismo* que está en acción en la imaginación reproductora.

El proceso se hace aún más visible en la deducción mediante tres síntesis, que se encuentra en la primera edición de la *Crítica de la Razón Pura* (1781). Las tres funciones sintéticas de la aprehensión, de la retención y del reconocimiento son trasladables a las prestaciones ofrecidas por el sentido, que sintetiza el presente como presente, retiene lo sintetizado, y lo identifica como uno, en su consistencia, en su identidad consigo mismo y en su diferencia respecto a lo otro. Esto es, por lo demás, lo que presupone Kant, que presenta las tres síntesis como las condiciones llamadas a la función de explicar la causa de una sinopsis que opera en la percepción sensible. La espontaneidad que se encuentra en el fundamento de la síntesis es la otra cara de la receptividad en acción que puede encontrarse en la sinopsis, precisamente del mismo modo en el que la retención imaginativa se encuentra en la base tanto de la imaginación reproductora como de la productiva; y el *syn*, que como tal es, necesariamente y antes que nada, síntesis de sensible e inteligible (del mismo modo que el bronce, como impronta, se salva y al mismo tiempo se niega en la cera), está en el origen de la síntesis figurada y de la síntesis intelectual.

La síntesis de la aprehensión en la intuición refuerza la sinopsis del sentido. Igual que Hume había dicho que, al percibir cualquier cosa, la mente mira más allá del percepto, porque (sobre la base de la retención y la asociación de ideas) lo pone en contexto (yo jamás veo simplemente un objeto, sino que lo sitúo ante un trasfondo y lo identifico como presente), así Kant asume que la *tabula* escrita presupone lógicamente la *tabula rasa*, o sea, que presupone la posibilidad de retención. Pero esta posibilidad se da al mismo tiempo que la *tabula rasa*, aunque, a diferencia de Hume, Kant reconozca que se trata de dos aspectos metafísicamente diferentes, del mismo modo que metafísica es, en la *Lógica*, la diferencia entre sensibilidad e intelecto según el eje de la pasividad y de la espontaneidad. Pero se trata, precisamente, de dos modos distintos de mirar la misma línea, según se la considere desde el punto de vista de la constitución objetiva o desde el punto de vista del acto de constituir síntesis sucesivas.

La síntesis de la imaginación refuerza la interpretación anterior, sobre todo si se tiene presente que ésta, en la topología del argumento, desempeña la misma función que la llamada a la imaginación que se encuentra en el centro del párrafo 24 de la segunda edición. La apertura y la clausura del segundo punto se adaptan perfectamente al tratamiento de la imaginación en el mismo lugar en 1787: se comienza con el paralelismo entre la asociación de ideas y la ley trascendental que la justifica de modo metaempírico, y se concluye con la afirmación por la que la síntesis reproductora de la imaginación pertenece a las operaciones trascendentales del ánimo. Con independencia del hecho de que esto sea o no sea el residuo de un extracto de un trabajo precedente, nos queda, por lo que hemos argumentado hasta aquí, que la diferencia entre la asociación de ideas y la fundación trascendental del conocimiento consiste en la sistematización de un dato retentivo que ya operaba en el nivel empírico.

Finalmente, la síntesis del reconocimiento en el concepto aparece como asignada a la retención, y emparentada con las funciones superiores (categoriales) de la *koinè aisthesis*, precisamente por el hecho de que en ella se afirma, como en otros lugares de la obra de Kant, que la unidad del objeto es la unidad de la conciencia, según una síntesis que podrá ser leída en los dos sentidos posibles, y en los dos hechos que se presentan simultáneamente: el de un objeto que es unificado retentivamente por la conciencia, y el de una conciencia que se unifica en la síntesis del objeto. Tenemos aquí un argumento emparentado estrechamente con la visión del alma como *topos eidon*, que vale también para el paralelismo, sostenido por Aristóteles, entre el sentido como forma de los sensibles y el alma como forma de las formas. Y, como quiera que en Aristóteles esta versión daba lugar al paralelismo entre el alma y la mano, no parece ambiguo que, en una misma línea argumentativa, Kant sostenga (A 103) que esta actividad unificadora ejercitada por el reconocimiento sea sugerida por la misma palabra: *Begriff*.

Que la unidad de la conciencia preceda a todo dato de la intuición es algo indudable, del mismo modo que la posibilidad de unificar el *visus* de los dos ojos en una sola visión debe considerarse como un presupuesto del acto de ver. Pero esta retención –que nunca está vacía, igual que el alma jamás piensa sin imágenes– ejercita la misma prioridad al mismo tiempo en que tiene comienzo la retención empírica. La retención, como aquello que es común tanto a lo espontáneo como a lo pasivo, es por tanto el origen de ambos. Piénsese en la refutación del idealismo de la segunda edición de la *Crítica de la Razón Pura* (275 y ss.). Después de haber objetado a la duda hiperbólica que, precisamente la constitución temporal del *cogito,* supone la existencia de un mundo exterior y fijo respecto al que el flujo se define como tal, Kant enumera una serie de circunstancias que confirman cómo la espontaneidad del *cogito* es sólo la otra cara de su pasividad. No es posible, según la Anotación 1 a este punto, que se posea sólo un sentido interno que imagine un sentido externo, porque ese imaginar demuestra ya la posesión de un sentido externo. Que un sentido tal no pueda ser, a su vez, imaginado, como sostiene Kant, es posible sólo a condición de que el sentido externo, en tanto pasividad, preceda no sólo a la espontaneidad psicológica del sentido interno, sino que también preceda a la fundación trascendental de la conciencia. Más que de preceder, se trata de una cogeneración –concretamente siguiendo el valor que Aristóteles da a *hama* en las *Categorías* (14b24-25 y 15 a11-12): simultáneas son las cosas que se generan al mismo tiempo. La Anotación 2, que rebate la afirmación de que no se puede percibir ninguna determinación temporal sin el movimiento, es una paráfrasis perfecta de la *Física* aristotélica, para la que el sentido interno aparece estrechamente asociado al sentido externo, como el pensamiento a la extensión. Finalmente, la Anotación 3 confirma que con la imaginación no necesariamente se perciben objetos existentes, pero se tiene sólo la prueba de la existencia de un algo externo; las representaciones del sueño y del delirio (se trata precisamente del ejemplo que aparece en *Acerca de la memoria,* que pasa inalterado a la misma *Antropología* kantiana) pueden ser también el mero resultado de la imaginación: «pero tal imaginación supone la reproducción de percepciones externas pasadas» (B 278).

En el nivel del esquematismo, esto es, el de la aplicación de las categorías a los aspectos de los sentidos, lo escrito y lo no escrito en la *tabula*, nacen en el mismo momento, en un único instante. En un lugar famoso, Kant escribe (A 120) que la imaginación interviene incluso en la percepción, o sea, que debemos entender que da lugar –en el nivel de la aplicación–, con un único gesto, a la sensibilidad y al intelecto. Por esto es legítimo encontrar en la imaginación, no como facultad de la imagen sino de la huella, tanto pasiva como activa, la «raíz común, desconocida para nosotros», cuyos troncos manifiestos son la sensibilidad y el intelecto (B 29, A 15). Kant no explica, ni aquí ni en otro lugar, cómo tiene lugar esta comunicación entre lo sensible y lo inteligible, y entre la pasividad y la actividad. Habla de ello como de un misterio depositado en las profundidades del alma humana. Pero la resolución (esto será subrayado sobre todo por Hegel y por Heidegger) se encuentra justo en el hecho de que la inscripción pasiva de la huella y su traducción activa acontezcan al mismo tiempo, que es a su vez efecto de la huella. En este sentido, la imaginación no se halla entre la intuición y el intelecto, en los confines entre intelecto y sentido, sino que es, precisamente, la fuente común de ambas.

En un pasaje de la *Lógica* de Hegel (1812-1816: II, 545) se encuentra el sentido más maduro de este constructivismo filosófico: la cosa en sí es un *contragolpe* del fenómeno, está antes porque viene después. Que la apariencia sea necesaria para la esencia, es en concreto lo que resulta del examen de la temporalidad en la *Crítica de la Razón Pura,* para la que la construcción del fenómeno es también constitución de la conciencia. El riesgo de un proyecto semejante es, sin embargo, que el proceso de construcción, que hipostatiza un yo absoluto y una imaginación absolutamente productiva, transforme el mundo en fábula. En este sentido, el triunfo romántico de la imaginación productiva se configura como la extensión (consciente o no) del constructivismo matemático a la esfera completa del conocimiento. El yo se hace propietario del mundo porque lo construye del mismo modo que Tales había hecho con su triángulo. Pero si el mundo es real, y no sólo un castillo en el aire, esta hipérbole de la construcción se encamina hacia un previsible naufragio, y hacia un descrédito de la imaginación.

Construcción y filosofía

Herder, en las *Ideas para la filosofía de la historia de la humanidad* (1784), insiste sobre el condicionamiento físico y climático de la imaginación, mientras, en estos mismos años, Maass, Platner y Bendavid permanecerán fieles a determinaciones lockeanas y leibnizianas. Pero el discurrir relevante de la filosofía marcha ya en otro sentido. La «Deducción de la representación» en la *Doctrina de la ciencia* de Fichte (1762-1814) valora el principio, ya afirmado en el *Ensayo de una crítica de toda revelación* (1792), según el cual «nada puede llegar al intelecto, si no es a través de la imaginación». A pesar de las apariencias, quien habla aquí no es el heredero de Locke, sino el de Kant, aunque la dicotomía entre los dos modelos no es tan fuerte como con frecuencia se pretende. La conciencia, lo hemos visto, es al mismo tiempo constitutiva de y constituida por la imaginación, por ejemplo por el acto de trazar una línea. El yo es una actividad infinita que produce en el propio interior un no yo, respecto al cual es, por tanto, tanto activo (como productor) y pasivo (como receptor).

Aquí se comprende el aspecto central del Idealismo como constructivismo. La realidad no viene dada, sino producida por un espíritu que se genera al generarla: en la teoría y en la práctica, la imaginación, como síntesis trascendental, reproduce la originaria unidad de la conciencia en cada peldaño de la experiencia y del conocimiento. Pero, precisamente porque es poiética, la imaginación no puede poseer nada genéricamente poético, y es en este contexto donde (por contraposición al incipiente romanticismo) Fichte subraya, en provecho del primer término, la contraposición entre la *Einbildungskraft* constructiva y la *Phantasie* sin reglas. Desde este punto de vista, es significativa la novena de las conferencias dedicadas a las *Thatsachen des Bewusstseins*, impartidas al comienzo de 1813: la *Einbildungskraft* es libre respecto a lo empírico no porque se mueva en un mundo sin reglas sino, al contrario, porque constituye la sensibilidad y el intelecto, y marca los límites de lo empírico y de lo trascendental. El arte verdadero, a su vez, es tal no en tanto se emancipa de lo empírico, con eso que Heidegger llamará el desatado e irresponsable juego del *Witz*, sino porque es la forma de la forma, o sea, la puesta en acción de aquel acto de formación originario que está vigente tanto en el *eidos* sensible como en el inteligible, y vale, por tanto, como un único proceso que existe en la conciencia, en el arte y en la filosofía.

Aquí se pone de manifiesto el modelo de la ley moral en Kant, que es conjuntamente libertad de elección autónoma y ley obedecida, de modo que lo empírico se hace trascendental y, de nuevo, lo trascendental determina lo empírico. El atractivo que el sistema de Kant, y el modo en que es retomado por Fichte, ejerció en Hörderlin, Schelling y Hegel en su común juventud en Tübingen, se funda precisamente sobre tal circunstancia. Es en este sentido que Hörderlin (1770-1843) habla de una esencia poética de la razón. También en este punto se hace claro el nexo entre razón e imaginación trascendental: al suministrar leyes, la razón, que es, kantianamente hablando, la facultad de las reglas, se vuelve a unir a la antigua determinación de la *phantasia* en Heráclito, que se identifica con la *physis* porque conduce a las cosas hacia el espacio de la presencia. Pero eso es posible sólo porque en la imaginación productiva se generan tanto el intelecto como la experiencia. La creación aparece por tanto como inseparable de la memoria, y no sorprenderá que, en una época que parece haber vuelto las espaldas al oficio de *Mnemósine*, la gran lírica hölderliniana se alimente en el *Andenken*, esto es, justamente en el recuerdo. Así en «Juicio y Ser», un fragmento de 1795, escrito bajo la influencia de la *Doctrina de la ciencia*, encontramos: «No se da para nosotros ninguna posibilidad de pensar lo que no haya sido ya real». El proyecto de una nueva mitología, común a los tres estudiantes de Tübingen, vive así gracias a una ambigüedad esencial: por una parte, es la necesidad de dar a las ideas una forma sensible, del modo en que –ya se ha visto– el Hegel maduro dirá que la apariencia es necesaria para la esencia; por la otra, se trata del retorno a lo antiguo, la recuperación del pasado por vía mnéstica.

La trayectoria de Schelling (1775-1854), que comienza con la búsqueda de una nueva mitología y concluye su larga carrera filosófica en la anamnesis de la mitología, no describe el paso de la Revolución a la Santa Alianza, sino el desarrollo de una fundamental indicación filosófica de Kant, que es bien clara incluso en el *Sistema del idealismo transcendental* (1800): la conciencia es conjuntamente constituyente y constituida, y es por esto que se identifica con la imaginación trascendental, que es anterior sólo gracias a la condición de ser posterior; la conciencia, por tanto, puede intuir un objeto sólo poniendo «un momento pasado como fundamento del presente». El argumento es perfectamente kantiano: la construcción no es la creación de algo, sino la institución de una retención que, en general, hace posible la percepción y la temporalización, las cuales no vienen dadas, sino que son constituidas o sintetizadas. Entre los variados efectos de este cuadro, instituyente de *physis* como de *nomos*, de *aisthesis* como de *noesis*, se encuentran, con toda justicia, también el *a priori* y el *a posteriori*. Pero, como después hará Hegel, Schelling reprochará a Kant una excesiva timidez: ¿por qué limitar el papel constructivo de la imaginación a la sola esquematización de los conceptos? ¿Por qué, en definitiva, pensar que la construcción del fenómeno y de la conciencia debe presentarse en fenómenos tan pobres como el trazo de una línea cuando, en definitiva, todo objeto histórico es una quimera vacía o un mero dato empírico si no se le puede construir intuitivamente y *a priori*? Era justamente el proyecto de una nueva mitología: hasta que los filósofos no puedan convertir los conceptos en sensibles, no habrán cumplido su propósito. El modelo es el del demiurgo platónico, y el de la construcción del estado a partir de las ideas en la *República*, que se verifica también en la construcción histórica del Cristianismo, y que Schelling vuelve a enlazar explícitamente con esa tentativa kantiana de la *Opus postumum*, la de llegar no sólo a la construcción de esquemas generales de los fenómenos, sino a los fenómenos mismos en su individualidad. Es en este panorama donde Schelling asume *in toto* para la filosofía ese constructivismo que Kant había limitado a las matemáticas. De una parte, no sucede que exista ya tanta ciencia de la naturaleza cuanto mayor sea la cantidad de matemáticas que se pueda introducir (según el proyecto de Kant, que tenía por finalidad la *aplicabilidad* de las categorías a lo real), sino que, justo al contrario, las matemáticas mismas serán científicas sólo cuando puedan ser obtenidas por construcción. Pero la construcción, a su vez, es precisamente anterior a la diferencia entre *a priori* y *a posteriori*, entre inteligible y sensible. Una diferenciación semejante sólo puede ser factual, por tanto está ya constituida, y la tarea acabada de la filosofía se encuentra en la transformación en hipótesis necesaria de toda proposición *a posteriori*. Así se explica en *Sobre el verdadero concepto de filosofía de la naturaleza* (1801, SW, IV, 97): para lo empírico, que opera en lo ya constituido, y con una experiencia que en principio retiene pero que en realidad es el resultado de una inconsciente construcción, la naturaleza es un *terminus a quo*; para el filósofo de la naturaleza, que sabe cómo las construcciones actúan ya en la percepción, la naturaleza no es un principio, sino una labor asignada, esto es, un *terminus ad quem*. Se comprende por qué motivo el *Timeo* ejercita, en este periodo de años, una atracción semejante sobre Schelling, siempre a partir de la anécdota de Critias, sobre la cual se discute, por ejemplo, en las *Lecciones sobre el método de los estudios académicos*: aquello que parece darse con la evidencia de una primera vez, es el resultado de un proceso que puede hacerse necesario a través de una anamnesis.

Es en este sentido que el arte se convierte en un paradigma para la filosofía, ya que permite el reconocimiento de una unidad que de otro modo resultaría inaccesible. Así como Dios produce lo múltiple a través de una imaginación superior y de este modo puebla el mundo, así el actuar humano debe hacerse mimético de esta creación original. Es una noción antigua, que desde el paradigma platónico emigró al Sufismo árabe y todavía después a Böhme, y que volverá a encontrarse, en los mismos años de Schelling, en Franz von Baader o en Florenzi Waddington. Pero se comprende cuánto puede excitar las reflexiones sobre el arte una tal exaltación del papel del poeta. Para un seguidor profeso de Schelling como Coleridge, la imaginación (distinta de la *fancy* puramente asociativa) transforma lo múltiple en uno y lo accidental en necesario, con una actividad *esemplastic* (de *eis hen plattein*, «to shape into one») que repite, en la mente finita, el acto creador de Dios. Así también, tras la estela de Coleridge, William Wordsworth, en el *Preface to the Edition of the Poems* (1815), que depende en sus presupuestos teóricos tanto de Locke (en lo referente a la partición de la facultad) como del idealismo, rebate el carácter asociativo de *fancy*, y el carácter unificador de *imagination*, que lleva *numbers into unity*, y tiene como fin lo eterno, mientras la fantasía opera en la parte temporal de la naturaleza. A través de la imaginación, el constructivismo humano se identifica con el divino. Kant, en el párrafo 49 de la *Crítica del Juicio*, había escrito ya que la poesía es afín a las matemáticas, y se atreve a convertir en sensibles las ideas de la razón, que son invisibles por definición. No sorprende que, en el contexto de un mismo vehículo constructivista, matemáticas y filosofía se encuentren tan estrechamente unidas; en esta actitud el punto más alto es Poe, y, con toda razón, se ha visto en su *Philosophy of Composition*, en la que se comenta la génesis totalmente racional y constructivista de *The Raven*, el manifiesto de lo que, a través de Baudelaire, Mallarmé y Valéry, se ha llamado *poésie pure*.

Como se ha dicho, también Hegel (*Enciclopedia*, p. 262 Zusatz) pone de relieve una timidez fundamental en los *Metaphysische Anfangsgründe* de Kant, que suponen «la materia como algo bello y acabado». Esta reproche es paralelo a aquél, formulado a partir de *Glauben und Wissen* (1802), por el que Kant no habría reconocido que la imaginación determina la intuición pura en conformidad con la categoría, de modo que aquí hay que vérselas tanto con un intelecto intuitivo como con una intuición intelectiva, o sea con una síntesis que opera ya en el nivel de estética trascendental. Pero, precisamente porque la imaginación es al mismo tiempo intuición e intelecto, pasividad y actividad, ella no puede ser reducida a una productividad absoluta en el sentido de lo fantástico. La imaginación es productiva en grado sumo, precisamente al unificar pasividad y actividad, a las que ella misma ha producido. Ella es la categoría inmersa en la extensión, en cuanto es posibilidad de extensión y pensamiento, porque al retener lo mismo lo funda como sensible e inteligible. Desde el punto de vista del fenómeno, ella es la segunda; pero es primera en cuanto hace posible la iteración que señala lo externo y lo interno.

Para entender este punto, conviene volver a acudir a los párrafos de la *Enciclopedia* en los que se discute de la memoria y de la imaginación. Hegel habla de ellas dentro de la psicología, y, más exactamente, bajo el aspecto del espíritu teórico (pp. 445 y ss.). La intuición no es un inicio, dado que, como se dice en el *incipit* de la *Fenomenología del espíritu*, incluso la más tonta de las intuiciones se mueve en un aquí y un ahora trascendentalmente constituidos. Lo transcendental es sin embargo, a su vez, un resultado de la retención; y aquí no resulta difícil captar el eco de una tradición que, desde los *Analíticos posteriores*, llega hasta la deducción, en la primera edición de la *Crítica de la Razón Pura*. En un primer momento la memoria, como *Erinnerung*, o sea como memoria mecánica, retiene la impresión; después, esta misma memoria, pero actuando como memoria libre, como *Gedächtnis*, se convierte en pensamiento: un pensamiento que resultará vinculante respecto a la intuición. Entre una y otra memorias, en la dicotomía entre una diferencia y una hoja diáfana, hay en efecto imaginación, que es ante todo una imaginación reproductora, pero que desligándose de la reproducción involuntaria de la imagen, se predispone a entrar en ese ámbito invisible del espíritu, dentro del cual se da la *Gedächtnis*. Todo comienza con una repetición, porque este desdoblamiento de lo sensible y de lo inteligible tiene lugar en la retención. Así, en las *Lecciones de estética* (HW, XIII: 450-451), se lee que la muerte de lo natural sucede dos veces, y que tiene un significado redoblado, la primera vez como muerte de lo simplemente natural, la segunda vez como nacimiento del espíritu. Se trata siempre de un único acto, que se hace específico en la sensibilidad y en el intelecto. No se podría explicar más icásticamente el papel de la imaginación como retención y, por esa vía, como fuente común de una sensibilidad y de un intelecto que tienen su origen en la retención. La representación tiene, por tanto, dos caras, a causa del desdoblamiento de aquel único acto que es percepción e idealización, intuición y memoria: por una parte, ella revela la intervención de la representación en la intuición; de otra, ella indica el proceso por el que, desde la iteración de la sensibilidad desligada de su génesis factual, se llega a la libertad. Así, en la *Enciclopedia* –que desde este punto de vista puede ser comparada con la *Psychologia empirica* de Wolff y con la *Metaphysica* de Baumgarten–, el párrafo 465, que inagura la sección que trata del pensamiento, comienza de este modo: «La inteligencia es dos veces» (ist *wieder*, o sea *iter*, es iteración).

La confirmación de lo anterior se obtendrá si se consulta el párrafo 464, justo antes del paso al pensamiento. Aquí Hegel habla de la *inteligencia como memoria mecánica*. En el *Zusatz*, anota que en alemán la memoria, «de la que se ha convertido en un uso normal el hablar despreciativamente», se encuentra por el contrario estrechamente emparentada con el pensamiento. Los caracteres de este parentesco son precisados en el contexto de una fenomenología que repite de cerca la de Aristóteles, en la alternativa entre la memoria como facultad típica de los más torpes y la reminiscencia como don de los más inteligentes. Es claro que entre memoria y reminiscencia, entre el elefante y su opuesto, no hay otra cosa sino la hoja diáfana de la que hablábamos –un folio que, a su vez, no es sino memoria. Los jóvenes disfrutan de una memoria mejor que la de los viejos; en aquéllos, la memoria ocupa el lugar de la reflexión, que aún no poseen: precisamente al sedimentarse la huella mnéstica se alisa el terreno de su interioridad. La huella, emancipándose de la servidumbre de lo sensible, permanece como un dato puramente no icónico, ya no tiene ningún contenido determinado, y por eso abre el camino de un *espacio puro*. Es de ese modo como, partiendo de las imágenes, se llega al concepto; pero las imágenes no son lo contrario del concepto, sino que son sus precursoras, así como el jeroglífico es al mismo tiempo superado y conservado por el alfabeto.

Encontramos aquí la solución a cuestiones con los que frecuentemente nos hemos encontrado. En los *Noveaux Essais* (Gerhardt: V, 108), Leibniz había dicho que la escritura de los chinos tenía un efecto análogo a la nuestra aunque pareciera inventada por un sordo (es decir, no sea fonética). Más adelante (ib. 379), se encuentra, no obstante, un elogio de los ideogramas, cuya virtud consistiría, en aparente contradicción con lo afirmado más arriba, en la capacidad de proporcionar unos pensamientos «menos sordos y menos verbales». El mismo proceso aparece en Hegel. La escritura jeroglífica se sirve de figuras espaciales, y la alfabética de figuras temporales, esto es de «signos de signos» (*Enciclopedia*, p. 459). El jeroglífico –que Hegel asimila impropiamente al ideograma– resultaría ser menos inteligente, porque es menos progresivo, dado que puede representar sólo un sistema fijo de conceptos (y por esto convendría a una cultura inmóvil como la china). Su inferioridad se expiaría, como en el sueño (o, según una consideración hecha ya por Quintiliano en las mnemotécnicas), en la ambigüedad y defectibilidad de los nexos lógicos entre imágenes, y es aquí donde retorna la definición del leer jeroglífico que «es por sí mismo un leer sordo y un escribir mudo». Hegel se queja, por tanto, de la necesidad de una lengua que, por sí sola, sea capaz de plegarse a las múltiples exigencias de una evolución espiritual, que no podría ser transmitida por una *característica.* El alfabeto no tiene, en cambio, el defecto del jeroglífico, ya que es progresivo, pero esto tiene su beneficio, porque la costumbre adquirida al leer hace, en efecto, que no leamos la escritura como representante de la voz, por mucho que miremos directamente lo escrito; lo cual «hace de ella, para nosotros, una escritura jeroglífica». Entonces Hegel llega al nombre, que, en la memoria, es la cosa. Es lo mismo que decir que con el nombre no nos encontramos en un ámbito meramente verbal, sino que la palabra y la cosa se unen en la memoria, en el nivel de una huella no icónica, por la que, con el nombre *león*, yo pienso, pero no en la figura del león: pienso simplemente, no necesito de la intuición del animal, y tampoco de su representación. Los nombres constituyen el pensamiento, y son «palabras carentes de sentido» (según el doble valor, estético y lógico, que «sentido» tiene para Hegel); el significado viene después, si es que llega. Aquí Hegel está repitiendo el argumento contra la *mental imagery* del *Filebo*: primero un escritor imprime las sensaciones en el alma, después, si es necesario, un pintor viene a ilustrar estas marcas. En la *Estética* esta consideración se conecta con el símbolo: el significado es un mero excedente respecto a la actividad del pensamiento, que es de naturaleza iconográfica (o sea, según el modelo del *Filebo*, procede mediante la inscripción de marcas). En este contexto (que es el mismo que el del esquematismo kantiano), la contraposición entre escritura y lenguaje, como entre lo icónico y lo no icónico, no tiene lugar donde hacerse un hueco. Pero este camino se encuentra, precisamente, entre los menos seguidos entre los siglos diecinueve y veinte, prevaleciendo más bien o la llamada a una imagen como icono, o al lenguaje como invisible flujo de la conciencia. Es justamente sobre la base de esta drástica contraposición que, prosiguiendo la curva entrópica anunciada por el genio paranoico de Rousseau, la imaginación se ve reducida a vano fantasma y a una especie de «domingo» de la vida.

Bovarismo y nihilismo

Borges, haciendo de la metafísica una rama de la literatura, habría dado en el clavo si, en vez de querer traer a escena una paradoja trivial, hubiera querido explicar una verdad obvia que, como tal, vale también para la percepción. Una metafísica deteriorada, en cambio, transforma la fantasía en extravagancia o (se trata, típicamente, de un signo del ochocientos) en fantasmagoría, respecto a la cual es válida la sentencia de Fontenelle: «Si el señor X quiere creer a un oráculo, pues bien, nadie se lo puede impedir». Pero, asimismo, ningún remedio podrá mitigar la astenia de una facultad convertida puramente en quimérica. En esto, el frenesí de Madame Bovary es la otra cara del ansia de la nada de *El mundo como voluntad y representación*: la malcasada busca en las novelas «des assouissements imaginaires pour ses convoitises personnelles»; el asceta, cansado de la representación, desea la nada. En la determinación con la que Couturat (1904) se empeñara en argumentar, contra Kant, que las matemáticas no son intuitivas y que la demostración geométrica puede prescindir de figuras, encontramos ciertamente una tradicional reivindicación de la independencia de la imaginación respecto al pensamiento pero, al menos en la misma cantidad, el renovado descrédito de una facultad ya asignada a la pura ficción. De este mismo desasosiego es síntoma, en nuestro siglo, la adopción prevalente, tanto en las ciencias humanas como en el habla común, de la sustantivación «imaginario», que parece menos desacreditada.

Las *Cartas sobre la educación estética* (1795) de Schiller, a pesar de su programática alusión a Kant, acaban confiando a la imaginación el tan convencional oficio del «unir los dos estados opuestos del sentir y del pensamiento», por lo que ella ya no se encuentra en el acto de toda percepción, sino que más bien adorna y facilita conceptos demasiado ingratos, tanto que se echa de menos así en la completa idiotez como en la inteligencia perfecta. Aquí la imaginación ya no constituye la sensibilidad, sino que, más bien, endulza o aligera una realidad sobre la que no se hace preguntas, ya que se la asume como obvia y evidente. En el otro extremo cronológico de esta vicisitud, encontramos *Eros y civilización* (1955) de Herbert Marcuse, que se remonta a Schiller y ve en la imaginación exactamente una cierta edad de oro, a la que hace falta volver a través de una revolución contra el *logos.* Con todo derecho Marcuse reprochará a Freud que hubiera sometido la fantasía al principio de realidad, pero que no enunciara de modo positivo ningún otro principio, que no sea el del placer, que fuera capaz de gobernar la fantasía. El paradigma freudiano y schilleriano permanece por tanto inalterado en el fondo, y, en *El hombre unidimensional* (1964), la circunstancia por la que la imaginación ha podido prestarse a las necesidades de una desublimación represora funcional, como es el principio de realidad, se concibe como una desviación inexplicable. Ernesto Grassi se sitúa sobre esta misma línea de pensamiento, y aquí se abre una lista que podrá ser enriquecida sin ningún temor con los nombres de Bachelard, Durans, etc.

Aquí se está asumiendo que lo real existe y oprime, y que es necesario librarse de ello. Pero justamente éste es el problema. Jacobi, que reprochó a Kant una idolatría hacia las formas vacías de la imaginación, objetó a Fichte que era un nihilista, acuñando un término que tendrá un largo porvenir filosófico. En los mismos años, Salomon Maimos, en su proyecto de una nueva lógica (1794), avanzaba la hipótesis según la cual la razón no produce sino ficciones heurísticas, hipótesis que será relanzada en nuestro siglo, también bajo la tutela de sugerencias nietzscheanas, por un estudioso de Kant como es Hans Viahinger. El devenir, fábula del mundo verdadero, en *El crepúsculo de los ídolos* (1889) parece poner paz entre bovarismo y nihilismo, dado que ahora el reconocimiento de la nulidad del mundo no excluye un goce libre de la representación. En realidad, comporta un elemento dialéctico, proporcionado por la circunstancia por la que, venido a menos el mundo, hemos perdido también lo aparente. O sea, la realidad y la apariencia, estrechamente unidas, se desvanecen juntas, del mismo modo que la muerte de Dios es el efecto de una decisión del hombre. Bajo este punto de vista, sin embargo, el nihilismo no sería sino una versión menor y pesimista del constructivismo, que habría firmado las fases decisivas del pensamiento moderno. Y en efecto, toda la tematización de la voluntad de poder como arte parece desear volver a proponer como culminación, y al mismo tiempo superación, del nihilismo, un renovado constructivismo. Es aquí donde Nietzsche se encuentra con Baudelaire. «La reine des facultés» (o sea la imaginación) es el título del *Salon de 1859*, donde Baudelaire polemiza con el realismo, pero no en nombre de los monstruos de la fantasía (que, por tanto, vale como irrealidad), sino más bien en nombre de una imaginación pictórica en la que la figura vale como ideograma –kantianamente, por tanto, como esquema– productor de realidad. La técnica, como en las tardías reflexiones de Heidegger en la materia, es entonces y al mismo tiempo lo que vacía lo real (produciendo el estado de ánimo que prevalece en *Mon coeur mis à nu*) y lo que lo prepara.

La otra cara de este constructivismo, que ahora se encarna exclusivamente en la fabricación mecánica, es el autómata. Hobbes había hablado en el *Leviatán* del Estado como de un «Artificial Man» (es la alegoría monstruosa del frontispicio de tal obra, donde el soberano se compone de innumerables hombres). Igualmente, en la *Monadologie*, todo cuerpo orgánico es una suerte de máquina divina (de un Dios que el compositor Henry Purcell, contemporáneo de Leibniz, había definido como «wondrous machine», «máquina maravillosa»): según Leibniz, en una máquina construida por el hombre siempre se llega a un cierto punto que ya no es artificio, mientras las máquinas divinas, o sea, los cuerpos vivientes, continúan siendo máquinas, incluso en sus más mínimas partes. La competición entre el autómata divino y el humano se desencadena, en el siglo dieciocho, con ejemplos tales como el flautista mecánico de Vaucauson, el escritor de Jacquet-Droz, o el jugador de ajedrez de von Kempelen. Precisamente de este último habla Poe en una novela famosa, para mostrar las limitaciones del artificio humano respecto al divino (es la tesis desarrollada, en referencia a la imaginación, en el *Alciphron* de 1840). El pretendido autómata es, de hecho, maniobrado por un enano. Pero puramente automática es la muñeca Olimpia de *Der Sandman* de E.T.A. Hoffman, y la humanidad de *Metrópolis* de Lang. Villiers de l'Isle-Adam, que antes de morir quiso ver la Tour Eiffel, proyecta su sueño en el androide del *Eve future* (1886), que supera a la humanidad incluso en lo referente al espíritu, así como Edison, en el subterráneo de Menlo Park en el que se desarrolla la fantasía de Villiers, pareció haber realizado (como sucederá después en todos los defensores de la realidad virtual) el sueño demiúrgico de transformar el monograma bidimensional en un holograma viviente.

Epílogo

Matière et mémoire (1896) y antes el *Essai sur les données immédiates de la conscience«* (1888) representa, a pesar del juicio nada generoso de Heidegger y Sartre, una gran tentativa de fundar en la memoria, como facultad de la huella, la mediación entre extensión y pensamiento. El límite de Bergson está en la mala comprensión de Kant, y en la asunción de un indiscutido cartesianismo, que le induce a presuponer la extensión y el pensamiento como datos iniciales y no como los resultados de una construcción (inversamente, basándose en una referencia demasiado simplificada al idealismo, Gentile acabará transformando el constructivismo en solipsismo). Pero, seguramente, buscar en la memoria el punto de sutura entre ciencias de la naturaleza y ciencias del espíritu, es un resultado filosófico de tremenda grandeza: en el alma se confiscan las huellas de la extensión, las imágenes; por otra parte, en la materia se sedimentan átomos de temporalidad, que la materia repite inconscientemente. Eso que se describe a través de esta experiencia es lo que, en 1944, tres años después de la muerte de Bergson, sería llamado «código genético», y que el mismo Bergson sintetiza en el principio según el cual el pasado es seguido por la materia e imaginado por el espíritu. La imagen que se hace huella temporal es el modelo general del paso de la materia al espíritu, y la repetición (la iteración de la huella) es en general el espíritu en la materia. Precisamente sobre esta circunstancia se justifica el tradicional enfrentamiento entre Bergson y Proust: el nombre resulta poético en la misma medida en la que vale como jeroglífico, que condensa en sí las huellas de la extensión –y es por este motivo que un libro es un gran cementerio–. Inversamente, el nombre se despliega en la memoria: del pavimento de un palacio resurge el pasado –en virtud del dispositivo mecánico de la asociación de ideas–; de un nombre se despliega (como en las flores de papel japonesas, que se abren al contacto con el agua) una esencia.

Con razón Proust insiste en la memoria involuntaria. Conciencia y memoria se excluyen, porque para considerar algo como presente debo olvidar todo el pasado que lo ha constituido como tal. ¿Pero qué es lo que en este cuadro se pierde de vista? Precisamente el acto que pone la presencia del presente, o sea la tarea de la imaginación trascendental según Kant. El problema, en la expresa declaración de Freud en la *Interpretación de los sueños* (1900) puede ser reconducido a los términos en los que pocos años antes lo había enunciado, con Breuer, en los *Estudios sobre la histeria*: los de la problemática co-presencia, en nuestro aparato psíquico, de un espejo y de una placa fotográfica, de una percepción instantánea y de una retención virtualmente perenne. La percepción es consciente, pero puede existir como tal sólo a condición de que se borre, relegándola a la no-presencia, toda percepción precedente, depositada en la memoria como en una película fotográfica, y de que esté lista para reaparecer en caso de disfunción (es la tesis fundamental de Breuer y Freud: la histérica sufre de reminiscencias; por su parte, Hegel había ya dirigido la atención a la masa de recuerdos que se agolpan, como si resurgieran de la nada, cuando se está enfermo). Es en este punto cuando interviene la cuestión de la huella: hace falta (como en la hipótesis de los dos tipos de neuronas, permeables e impermeables, en el *Proyecto de una psicología*, de 1895) imaginar dos sistemas: uno más avanzado o superficial y carente de memoria (la sensación, pero después también del mismo modo la conciencia), y otro más atrasado, donde la excitación transitoria se sedimenta en huellas perdurables. Así, la memoria existe sin conciencia; la conciencia existe, por tanto, sin memoria, pero es sacudida justamente por aquella memoria de la que no tiene conciencia. Y, en nota a la *Interpretación de los sueños* añadida en 1925, Freud precisa que, de un modo verosímil, la conciencia nace *en lugar de* la huella mnéstica. El sentido recibe como lo hace un espejo, y recibe sensaciones siempre nuevas; la imaginación conserva las huellas; el intelecto (la conciencia) es una punta avanzada de la retención, que ya no tiene contenido reconocible, y como tal puede parecer virgen como el espejo (como el espacio puro de la interioridad que, para Hegel, *sigue* a la inscripción), de modo que el principio y el fin del proceso se igualan en la común amnesia. Así puede verse en *Más allá del principio del placer* (1920), donde la conciencia es un constructo superficial, localizado en la corteza cerebral, y parece ser al mismo tiempo el sensor ínfimo y la sede de la reflexión. La metapsicología no sería entonces sino la repetición del modelo neurológico, del mismo modo que la reflexividad del sentido se redobla en la reflexividad de la conciencia. Entre estos dos puntos, el sentido y la conciencia, la neurofisiología y la metapsicología, se encuentra –y sin que él lo quiera–, insertada y repetida en Freud la psicología de Hegel: certeza sensible, incautación de la huella en el pozo y en la noche, desaparición y conservación de la huella en la conciencia. Lo más evolucionado y lo más arcaico se tocan, desde el momento que la materia gris es la heredera de la membrana de la ameba. Precisamente en su arcaísmo, que ha acumulado infinitas huellas filogenéticas, la membrana primitiva se convierte en conciencia, es decir, en liberación de la huella.

En Freud el modelo es claro: la condición para la constitución del presente es lo inconsciente. Lo mismo vuelve a encontrarse en Hussserl bajo el registro de la conciencia. La conciencia es intencional: quiere decir que no se detiene en la imagen, sino que va más allá de ella, hacia lo que es «refigurado» por la imagen. El objeto, por tanto, trasciende siempre la conciencia (a menos que ésta se haga reflexiva, y esa no es su condición normal). Husserl cree que va más lejos que Kant, pero en la práctica se sitúa sobre el mismo fundamento que su reflexión. Para Kant, la conciencia se construye en el momento mismo en el que intuye, gracias a un movimiento en el que actividad y pasividad constituyen una unidad. Lo que ambas se esfuerzan en pensar es la inscripción no ya como un movimiento secundario, que vendría a mediar entre una conciencia y una sensibilidad ya constituidas, sino como aquello que constituye sensibilidad e intelecto. En la primera *Investigación lógica*, contemporánea de la *Interpretación de los sueños*, Husserl se dedica a distinguir las manifestaciones lingüísticas de una expresión (por ejemplo, las palabras o los signos trazados sobre el papel) de los actos de conciencia que las acompañan. El resultado, contra la intención explícita de Husserl, es que esta distinción no tiene lugar antes de la inscripción, sino, justo al contrario, en el acto de inscribirse. Toda conciencia es conciencia de algo. Es lo mismo que decir que la conciencia y la cosa surgen en el mismo momento, y no existen la una sin la otra. Aquello que se nos escapa, como sucede en el esquematismo como arte escondida, pero también ya en la simultaneidad de movimiento y tiempo de Aristóteles, es el darse de esta constitución mutua. El acto de constituir se desvanece siempre al darse o, como diría Heidegger, se esconde en la presencia: cuando formulamos un juicio, juzgamos la cosa, y no su imagen, ni el proceso lógico y estético que nos conduce a ella. Una reflexión trascendental debería con toda justicia volverse hacia atrás, al momento extra-original de la constitución de lógica y estética en el acto de la percepción. Allí donde un cierto discurso sobre la imaginación «poética» se había limitado a registrar la disolución del mundo en una fábula, el constructivismo husserliano trae positivamente la totalidad del proyecto más ambicioso de la filosofía moderna: el gesto de la construcción da así vida tanto a la idealidad del significado como a la del sentido. Este gesto salva –y al mismo tiempo arruina– el valor de la verdad: si la verdad se encuentra en la idealización como principio de sensibilidad y de intelecto, entonces las condiciones por las que cualquier cosa puede ser verdadera son también las mismas por las cuales puede ser falsa. La problematicidad originaria de la *phantasia,* que al mismo tiempo es regla de ilusión y principio que instituye el espacio de la presencia, se ve tematizada en toda su densidad.

Derivando de este proyecto, se comprende el interés de Heidegger por la imaginación trascendental como raíz de intuición e intelecto en *Kant y el problema de la metafísica* (1929), así como su sucesiva insistencia en el papel instituyente (podríamos también decir: constitutivo) de la obra de arte. En los mismos años, también *La imaginación* (1936) de Sartre se conecta a Husserl, llamando la atención sobre el movimiento por el que la imagen no es tanto un contenido de la conciencia, sino que es sobre todo su condición; como se precisa en el más amplio ensayo sobre la imaginación del 1940, la imagen no está *en la* conciencia, sino que ella misma *es* conciencia. El movimiento que, en la huella, instituye lo sensible y lo inteligible no se superpone a un sujeto trascendental, lo produce, como una auto-afección que pone al mismo tiempo sujeto como objeto y objeto como sujeto. Si toda conciencia es conciencia de algo, la conciencia y la cosa nacen al mismo tiempo, y no existen la una sin la otra. Así lo encontramos en las reflexiones de Husserl sobre el origen de la geometría: la existencia matemática (es el mismo tema que, en esos mismos años, tratan Klein y Becker, relacionados a su vez con la fenomenología) se despliega en una espacio-temporalidad pura. ¿Pero cuáles son las condiciones de transmisión de esta evidencia? Aparentemente, el teorema de Pitágoras y las verdades descubiertas por Euclides permanecen iguales, independientemente de la forma de su transmisión. Y, no obstante, el mantenimiento y la reactivación de la presencia ideal –el acto de comprensión al mismo tiempo eterno e histórico por el que yo comprendo un teorema– viene a depender de la intersubjetividad y, de aquí, de la huella en general, que hacen transitar la verdad matemática en un ámbito de objetividad independiente del psiquismo del inventor y de la misma comunidad que lo instituye. La inscripción de la actualidad viviente es también la posibilidad del progreso, que encuentra su condición esencial –según el argumento que desde el *Discours sur l'origine et les fondaments de l'inegalité parmi les hommes* de Rousseau pasa a las *Conjeturas sobre el origen de la historia* de Kant– en la posibilidad de capitalizar los descubrimientos, de modo que preserve a la humanidad del ingrato trabajo de Sísifo, que en efecto, si escuchamos a Kant, comienza ya en la percepción.

En las *Investigaciones filosóficas* (1953, pp. 385 y ss.), Wittgenstein se plantea una pregunta que nace de consideraciones afines: ¿sería posible hacer cuentas sólo en la mente, sin hacerlas jamás de palabra o por escrito? No se excluye –esta es la respuesta–, puede darse que existan tribus que lo hagan; pero se trataría de un caso límite. Un límite que por otra parte no excluye la necesidad de la inscripción, ya que, en cualquier caso, Wittgenstein habla de hacer cuentas «en la imaginación», o sea, si no de palabra o sobre el papel, al menos en la tablilla de la memoria. Las reflexiones contemporáneas sobre el signo y la escritura se revelan como herederas de esta tradición, o, más exactamente, de este problema. Citemos, en particular, un texto de aparato fenomenológico como *La voz y el fenómeno* (1967) de Derrida: que el presente viviente está constituido por la huella, y que, desde este punto de vista, la representación real no pueda ser diferente, en principio, de la representación ficticia, no significa en ningún modo una inclinación escéptica o de otro tipo, sino sobre todo un examen trascendental de las condiciones de la presencia, el retroceder a un acto de constitución originario, pero un acto en el que, sin embargo, las expresiones «acto» y «originario» se conviertan en problemáticas.

Bibliografía

Las siguientes referencias bibliográficas tienen el único de fin de implementar el texto. Se clasifican según su tratamiento, y, dentro de cada uno de ellos, en libros y estudios, en orden cronológico y, cuando es necesario, también temático. Para un complemento ulterior, me permito dirigir al lector a: «Per una bibliografia dell'estetica del Settecento» (en colaboración con P. Kobau), *Pratica filosofica,* 6, Milano, Cuem, 1994, pp. 175-214; «Analogon Rationis», ib., pp. 1-126 (= Ferraris 1994); «Ermeneutica», *La filosofia,* en P. Rossi editor., Torino, Utet, 1995, III, pp. 39-83; «La nascita dell'estetica tra sensibilità e riflessione», ib., pp. 437-482; «Origini della immaginazione trascendentale», *Annuario filosofico,* Milano, Mursia, 1995 (= Ferraris, 1995).

Tanto en el texto como en la bibliografía se usan las siguientes abreviaturas: Ak = *Kant's gesammelte Schriften hg. V. Der Königlich Preussischen Akademie der Wissensachaften,* Berlin-Leipzig, 1900, edición de la *Deutsche Akademie der Wissenchaften,* Berlin, 1967; AT = *Oeuvres de Descartes,* Ch. Adams-P. Tannery editores, Paris, Vrin, 1897-1913, 12 vols.; AW = *Ausgewählte Werke;* Fattori-Bianchi = M. Fattori-M. Bianchi editores, *Fantasia e immaginazione: phantasimaginatio,* Roma, Ed. dell'Ateneo, 1988; GS = *Gesammelte Schriften;* GW = *Gesammelte Werke;* HW = G.W.F. Hegel, *Werke in zwanzig Bänden,* K. Michel-E. Moldenhauer editores, Frankfurt, Suhrkamp, 1969-1971, 20 vols.; KrV = I. Kant, *Critica della ragion pura,* trad. it. P. Chiodi, Torino, Utet, 1967 (A = 1781, B = 1787); OC = *Oeuvres complètes;* OO = *Opera omnia;* SW = *Sämmtliche Werke;* W = *Obras.*

Bundy, M. V., *The theory of imagination in classical and medieval thouhgt,* Champaign, The University of Illinois Press, 1927; Carchia, G., ***Estetica** ed erotica. Saggio sull' immaginazione,* Milano, Celuc, 1981; Watson, G., *Phantasia in Classical Thouht,* Galway University Press, 1988; Lachterman, D. R., *The Ethics of Geometry. A Genealogy of Modernity,* New York, Routledge, 1989; Brann, E. T. H., *The world of Imagination,* London, Rowman-Littlefeld, 1991. ***Percepción e idealización***: Emmett, K.-Machammer, P., *Perception. An Annotated Bíbliography,* New York-London, Garland, 1976. ***Léxico***: Ruland, M., *Lexicon Alchemiae,* Frankfurt, M. Z. Palthenius, 1612; Goclenius, *Lexicon Phílosophicum* (1613 y 1615), reedición, Hildesheim, Olms, 1964; Micraelius, J., *Lexicon Philosophicum Terminorum Philosophis Usitatorum* (1662), reedición, Düsseldorf, Stern-Verlag Janssen & Co., 1966; Eisler, R., *Wörterbuch der philosophischen Begriffe,* 4.ª ed. revisada por K. Koretz, Berlin, 1927-1930, 3 vols.; Ritter, J., editor, *Historisches Wörterbuch der Philosophie,* Basel-Stuttgart, Schawe & Co., 1967 ss.; Strawson, P. F., «Imagination and Perception» (1970), en *Freedom and Resentiment and Other Essays,* London, Methuen, 1974, pp. 45-65 (hay trad. esp. de J. J. Acero, Barcelona, Paidós, 1995). *Para los ámbitos lingüísticos específicos,* cfr. (además de diccionarios históricos, como Forcellini, Tommaseo, Tramater, Battaglia, Littré, Grimm, Dude, *Oxford Englísh Dictíonary,* etc.); Mackay, C. A., *Glossary of Obscure Words and Phrases in the Wrítings of Shakespeare and hís Contemporaríes,* London, Sampson Low, 1887; Klimek, T., *Zur Bedeutung von Englisch «Imagínation» und «Fancy»,* en «Archiv für Begriffsgeschichte», 12, 1968, pp. 206-231; Cropp, A., *Le vocabulaire courtois des trobadours de l'époque classique,* Genéve, Droz, 1975; Flury, Weijers y Taginawa, en Fattori-Bianchi.

Rohde, E., *Psyche. Seelenkulte und Untersblichkeitsglaue der Griechen,* Freiburg, 1890-1894, 2 vols., (hay trad. esp. de Wenceslao Roces, *Psique. La idea del alma y la inmortalidad entre los griegos,* México, FCE, 1983); Croce, B., *Estetica come scienza dell'espressione e linguistica qenerale. Teoria e storia* (1902), G.

Galasso editor., Milano, Adelphi, 1995 (*Estética,* Buenos Aires, Nueva Visión, 1962); Cassirer, E., *Storia della filosofía moderna (*1960 ss.), trad. it. de A. Pasquinelli, 2.ª edición, Milano, Il Saggiatore, 1968; Bäumler, A., *Das Irrationalitätsproblem in der Asthetik und Logik des 18. Jahrhunderts bis zur Kritik der Urteilskraft* (1923) reedición, Darmstadt, Wissenschaftliche Buchgesellschaft, 1967.

Mnemotecnia

Volkmann, L., *Ars Memorativa,* en «Jahrbuch der kunsthistorischen Sammlungen in Wien», N.F. III, 1929, pp. 111-200; Rossi, P., *Clavis Universalis. Arti della memoria e logica combinatoría da Lullo a Leibniz* (1960), Bologna, Il Mulino, 2.ª edición, 1982; Yates, F. A., *L'arte della memoria* (1966), trad. it. Torino, Einaudi, 1972 (hay trad. esp. de Ignacio Gómez de Liaño, *El arte de la memoria,* Taurus, Madrid, 1974); Blum, H., *Die antike Mnemotechník,* Hildesheim, Olms, 1969 (incluye una útil bibliografía); Caplan, H., «Memoria: Treasure-House of Eloquence», en *Of Eloquence, Studies in Ancient and Mediaeval Rhetoric,* Ithaca, N. Y. Cornell University Press, 1970, pp. 196-146. ***Tópica***: Breuer, D.L-Schanze, H., editores, *Topik: Beiträge zur interdísziplinären Diskusíon,* München, 1981. ***Mental Imagery***: Price, H. H., *Imageless Thinkíng,* en «Proceedings of The Aristotelian Society», 52, 1951-1952, pp. 135-66; Ishiguro, H., «Imagination», en Wiliams, B.- Montefiore, M., editores., *British Analytícal Phílosophy,* London, Routledge, 1966, pp. 153-75; Paivio, A., *Mental Imagery in Associative Learníng and Memory,* en «Psychological Review» LXXVI, 1969, pp. 241-263; Kosslyn, S. M., Image *and Brain,* Cambridge, Mass., The MIT Press, 1994. ***Huella***: Derrida, J., *De la grammatologie,* Paris, Minuit, 1967. ***Transcripción de la huella al lenguaje***: Gadamer, H. G., *Wahrheit und Methode* (1960) (hay trad. esp. de Manuel Olasagasti, *Verdad y método,* Salamanca, Sígueme, 1994). ***Reseña histórica***: Gawoll, H. J., *Spur: Gedächtnis und Andersheit,* I, en «Archiv für Begriffsgeschichte», XXX, 1986-1987, pp. 44-69, II, XXXII, 1989, pp. 269-296.

Lo moderno como constructivismo

Rorty, R., *La filosofía e lo specchio della natura* (1979), trad. it. G. Míllone y R. Salizzoni, Milano, Bompiani, 1986 (hay trad. esp. de Jesús Frenández Zulaica, *La filosofía y el espejo de la naturaleza,* Madrid, Cátedra, 1989); Lachterman, *The Ethics of Geometry, cit.* ***Invención y tópica***: Tomasius, Ch., *Ausüsbung der Vernunfft-Lehre* (1691), reedición, Hildelsheim, Olms, 1968; Tschimhaus, E. W. von, *Medicina Mentís síve Artís Inveníendí Praecepta Generalía* (1695), trad. it. L. Pepe-M. Sanna, Napoli, Guida, 1987.

Ediciones y comentarios platónicos

Cornford, F. M., *Plato's Theory of Knowledge* (1935), London, Routledge, 1973 *(Sofista y Teeteto)*; Damascius, *Lectures on the Philebus, Wrongly Atríbuted to Olympiodorus,* L. G. Westerink editor, Amsterdam, North-Hilland Publishing Co, 1959; Taylor, A. E., *The. Sophist and The Statesman* (1961), R. Klibanski y E. Anscombe editores, Folkeston-London, Dawsons, 1971; Derrida, J., *Khôra,* Paris, Galilée, 1993; Heitsch, E., *Phaidros,* Göttingen, Vandenhoeck-Ruprecht, 1993. ***Ambigüedad de eidos-idea:*** Havelock, E. A., *Preface to Plato* (1963), trad. it. M. Carpitella, *Cultura orale e civiltá della scrittura da Omero a Platone,* Roma-Bari, Laterza, 1973 (hay trad. esp. de Ramón Buenaventura, *Prefacio a Platón,* Madrid, Visor, 1994). (De todos los textos de Platón a los que el autor hace referencia, hay traducción española comentada en Madrid, Ed. Gredos). ***Mimesis***: Verdenius, L., *Mimesis,* Leiden, E. J. Brill, 1949; Babut, D., *Sur la notíon d'ímitation dans les doctrinas esthétiques de la Gréce classique,* en «Revue des Etudes Grecques», XCVIII, 1985. ***Anamnesis y escritura***: Friedländer, P., *Platon. Eidos, paideia, dialogos,* Berlin-Leipzig, De Gruyter, 1928; Derrida, J., «La pharmacie de Platon» (1968), en Derrida editor, *La disséminatíon,* Paris, Seuil, 1972 (hay trad. esp. de José Martín Arancibia, Madrid, Fundamentos, 1975); Findlay, J. N., *Platone. Le dottrine scritte e non scriitte (1974),* trad. it. R. Davies, Milano, Vita e pensiero, 1994; Vegetti, M., «Nell'ombra di Theut», en Detienne, M., editor, *Sapere e scrittura in Grecia,* Roma-Bari, Laterza, 1989; Lledó, E., *Il solco del tempo. Il mito platonico della scrittura e della memoria* (1992), trad. it. M. Carmignani, Roma-Bari, Laterza, 1994 (or. esp. Barcelona, Grijalbo, 1992). ***Ejemplarismo***: Prior, W. J., *The concept of Paradeigma in Plato's Theory of Forms,* en «Apeiron», 17 (1983), pp. 33-42.

Aristóteles: *Aristotelis de anima libri tres,* Trendelenburg editor, Berlin, W. Weber, 1877; *Traité de l'âme,* G. Rodier editor, Paris, Lerouz, 1900, 2 vols.; *De Anima,* R. D. Hicks editor, Cambridge, Cambridge University Press, 1907, reedición, New York, Arno Press, 1976; *L'anima,* G. Movia editor, Napoli, Liguori, 1979; *L'anima,* F. Sircana-M. Vegetti editores, Firenze, Le Monnier, 1987 (de todos los textos de Aristóteles citados existe trad. cast. en la colección Clásicos Gredos). Además: Nussbaum, M. C.-Oksenberg, A.-Rorty editores, *Essays on Aristotle's De Anima,* Oxford, Clarendon Press, 1991; Durrant, M., editor, *De Anima in focus,* London, Routledge, 1993. Sobre *De Memoria,* además de los títulos ya citados: *Arístotle on Memory,* trad. y com. R. Sorabij, London, Duckwort, 1972. Cfr. además: Nussbaum, M. C., ed., *Arístotle's de motu anímalíum,* Princeton, Princeton University Press, 1978. ***Intelecto activo y pasivo***: Brentano, F., *Die Psychologie des Aristoteles* (1867), reedición, Darmstadt, Wissenschaftliche Buchgesellschaft, 1967. ***Sentido***: Hamlyn, D. W., *Sensation and Perception,* London, Routledge, 1961; Rosen, S., *Thought and Touch: A note on Aristotle's De Anima,* en «Phronesis», 6 (1961), pp. 127-137. ***Koiné-Aisthesis***: Ferrarin, A., *Hegel interprete di Aristotele,* Pisa, Ets, 1990; Bynum, T. W., «A New Look at Aristotle's Theory of Perception», en Durrant ed., *op. cit.,* pp. 90-109, 98 ss. ***Imaginación***: Freudenthal, J., *Über den Begriff des Wortes phantasia bei,* Aristoteles, Göttingen, Rente, 1863; Sorabij, J. C., *Body-and Soul in Arístotle,* en «Philosophy», 49 (1974), pp. 63-89; Schofield, M., «Aristotle on Imagination», en *Arístotle on Mínd and the Senses,* en Lloyd-Owen editores, Cambridge, 1978, pp. 99-130 (también en Nussbaum-Rorty editores, *op. cit.,* 1992, pp. 249-277); Nussbaum *Aristotle's de motu animalium, op. cit.* (posición antitética). ***Crítica de la «Mental Imagery»:*** Kanisza, G., *Vedere e pensare,* Bologna, Il Mulino, 1991; Frede, D., «The cognitive role of Phantasia in Aristotle», en Nussbaum-Rorty, *op. cit.,* pp. 279-295.

Epicuro, Opere, introd. de M. Isnardi Parente, Torino, 21 de., 1983 (hay trad. esp. de Montserrat Jufresa, Madrid, Tecnos, 1994; y de José Vara, Madrid, Cátedra, 1995). Otros títulos de interés: Görler, W., *Asthenes synkatathesis,* en «Würzburger Jahrbücher für die Altertumswissenchaft», NS, 3, 1977, pp. 83-92; Taylor, C. C. W., «All the Perceptions are True», en Schofield-Burnyeat-Narnes, *Doubt and Dogmatism. Studies in Hellenistic Epistemology,* Oxford, 1980, pp. 105-124.

Plutarco, *De Iside et Osiride,* trad. it. M. Cavalli, Milano, Adelphi, 1985 (hay trad. esp. de Mario Meunier, Barcelona, Obelisco, 1997); *Corpus hermeticum,* Nock editor, trad. fr. del original de A. J. Festugiére, 4 vols., Paris, Les Belles Letres, 1946, 51 de. 1980; Festugiére, A. J., *La Révélation d'Hermés Trismégiste,* 21 ed., 4 vols., Paris, Gabalda, 1950-1954; Lévinas, E., «Mépris de la Thora comme idolatrie», en Lévinas, *A 1'heure des natíons,* Paris, Minuit, 1988.

Filóstrato, *Vita di Apollonio di Tiana,* trad. it. de D. De Corno, Milano, Adelphi, 1978 (hay trad. esp. en Madrid, Gredos, 1992); Plotino, *Enneadi,* G. Faggin editor, Milano, Rusconi, 1992 (hay trad. esp. de Jesús Igal, Madrid, Gredos, 1985-1992-1998). San Agustín: *De Trinitate,* Paris, Ed. Migne, *Patrologia latina,* XLII, pp. 821 ss. (edic. esp., *Obras filosóficas,* en *Obras Completas III,* Madrid, BAC, 1953-1966); *Confessioni,* trad. it. de R. de Monticelli, Molano, Garzanti, 1990 (trad. cast., *Confesiones,* Madrid, Apostolado de la Prensa, 1951 y otras ediciones); Proclo, *In Prímum Euclídís Elementorum líbrum Commentaríí,* Friedlein editor, Leipzig, Teubner, 1873. Otros títulos de interés: Aubin, P., *L'image dans* le oeuvre de *Plotin,* en «Recherches de Science Religieuse», XLI (1953), pp. 348-379; Warren, W., *Imagination in Plotinus,* en «Classical Quaterly», XVI, 1996; Aubenque, P., «Plotin et le dépassement de 1'ontologie grecque classique», en AA.VV., Le *Néoplatonisme,* Paris, Ed. du Cnrs, 1971, pp. 101-108; Charles, A., «L'imagination miroir de llame selon Proclus», ib. pp. 241 ss.; Blumenthal, H. J., *Neo-Platonic Interpretations of Aristotle on Phantasia,* en «Review of Metaphysics», 31 (1977), pp. 230-41; Motsopoulos, E., *Le probléme de l'imagínaíre chez Plotin,* Atenas, 1980; Motsopoulos, E., *Les structures de 1'imaginaire dans la philosophíe de Proclus,* Paris, Les Belles Letres, 1985;

Evrard, E., en Fattori-Bianchi, pp. 57-68; Bodei, R., *Ordo amorís,* Bologna, Il Mulino, 1991 (hay trad. esp. de Marciano Villanueva, Valladolid, Cuatro Ediciones, 1998).

Tomás de Aquino, *Summa Theologica,* De Rubeis-Billuart et alt. editores, reedición. de la 9.ª ed., Torino, Marietti, 1901, 6 vols. (la traducción completa de esta obra en B.A.C. se encuentra agotada en el momento de realizar esta traducción; existen sendas antologías en Madrid, Axel Springer, 1984, y Madrid, Espasa Calpe, 1985). Otros títulos de interés: Zimmermann, A., editor, *Der Begriff der Repraesentatio im Mittelalter,* Berlin-New York, De Gruyter, 1971; contribuciones de Bautier, Latham, Spinosa, Hamesse en Fattori-Bianchi.

Avicena: *Avicenna Latinus, Liber de anima seu sextus de naturalibus,* Verbecke editor, Louvain-Leiden, Peeters-Brill, 1972; *Avicenna's Psychology* (trad. ingl. y comentario del *Kitâb alnajât,* II, VI) Rahman ed. (1952), reedición Wesport, Hyperion Press, 1981; Alberto Magno, *OO,* Geyer editor, *De natura et origine animae, De principiis motus processivi, Quaestiones super de animalibus,* Monasteri Westfalorum, Aschendorf, 1955. Otros títulos de interés: Gätje, H., *Studien zur überlieferung der aristotelischen Psychologie im Islam,* Heidelberg, Carl Winter, 1971; Bach, J., *Des Albertus Magnus Verhähltniss zu der Erkenntnislehre der griechen, Lateiner, Araben und Juden* (1881), reedición. Frankfurt, Minerva, 1966.

Moses Maimonides, *Dux seu Director dubitantium aut perplexorum* (ed. Paris, 1520), reedición Frankfurt, Minerva, 1964, 2 vols. (hay edición esp. de David Gonzalo, Madrid, Trotta, 1998); Nardi, B., *Dante e la cultura medioevale,* Bari, Laterza, 1949, pp. 366-373; Gregory editor, *I sogni nel Medioevo,* Roma, Ed. Dell'Ateneo, 1985; Sermoneta, G., en Fattori-Bianchi, pp. 185-204.

Marsilio Ficino, *De vita* (1489), Biondi-Pisani editores, Pordenone, Biblioteca dell'Immagine, 1991; Vives, J. L. *De anima et vita libri tres* (ed. Basilea 1538), *OO* (1745), reedición, London, Gregg Press, 1964, t. III, pp. 300 ss. (la obra completa, editada por Aguilar, se encuentra agotada en el momento de realizar esta traducción; sí existe traducción de *El alma y la vida,* por Ismael Roca, Ayuntamiento de Valencia, Valencia, 1992); Folengo, T.

Baldus (ed. póstuma 1540), Faccioli editor, Torino, Einaudi, 1989; Bruno, G.: *Jordani Bruni Nolani Opera Latine Conscripta* (1886), reedición Stuttgart-Bad Cannstatt, Fromann-Holzboog, 1961; Campanella, T., *Il senso delle cose e della magia*, Buers ed., Bari, Laterza, 1925; Pomponazzi, P., *De naturalium effectuum causis sive de incantationibus* (ed. Basilea, 1567), reedición Hildesheim, Olms, 1970. Otros títulos de interés: Aretin, J. C. A. M., *Systematische Anleitung zur Theorie und Praxis der Mnemonik*, Sulzbach, 1810 (incluye presentación histórica); Panofsky, E., *«Idea»*, Leipzig, Teubner, 1924 (hay trad. esp. de Teresa Pumarega, Madrid, Cátedra, 1989); Curtius, E. R., *Schrift- und Buchmetaphorik in der Weltliteratur*, in «Deutsche Vierteljahresschrift», XX (1942), pp. 359 ss.; Rossi, P. *Francesco Bacone* (1957), Torino, Einaudi, 1974; Klibansky-Panofsky-Saxl, *Saturn and Melancholy* (1964) reedición Nendeln, Liechtenstein, 1979 (hay trad. esp. de M.ª Luisa Balseiro, Alianza, Madrid, 1991); Blumenberg, H., *La leggibilità del mondo* (1981), trad. It. B. Argenton, Bologna, Il Mulino, 1984.

Huarte de San Juan, J., *Examen de ingenios para las ciencias* (1575), Serés editor, Madrid, Cátedra, 1989; Montaigne, M. de, *Essais* (2.ª ed. 1588), trad. It. F. Garavini, Milano, Adelphi, 1996 (hay trad. esp. de Dolores Picazo, Madrid, Cátedra, 1985); Bacon, F., *Pensieri e conclusioni sulla interpretazione della natura* (1607-1609), en Bacon, F., *Scritti filosofici,* P. Rossi editor, Torino, Utet, 1975, pp. 363-400 (hay trad. esp. de Luis Escolar, Barcelona, Orbis, 1985); Rorario, G., *Quod animalia bruta saepe ratione utantur melius homine*, Parisii, 1648. Otros títulos de interés: Bayle, P., *Dictionnaire historique et critique* (1696), antología Labrousse editor, (sobre la edición de 1740), Hildesheim, Olms, 1982 (voces «Rorarius», «Pereira», «Barbe», y «Sennert») (hay trad. esp. de una selección, por Jordi Bayod, Barcelona, Círculo de Lectores, 1997); Paschini, P., *Un pordenonese nunzio papale: G. Rorario,* en «Memorie storiche forogiuliesi», 30, 1934, pp. 169-216; Marcialis, M. T., *Alle origine della questione dell'anima delle bestie,* Cagliari, Istituto di Filosofia, 1973; Ferraris 1994.

Otros títulos de interés: Baillet, A., *La vie de Monsieur Des-Cartes* (1691), reedición Genève, Slatkine, 1970; Grimm, E.,

Descartes' Lehre von der angeborenen Ideen, Jena, Mauke's Verlag, 1873; Rossi, *Clavis universalis, op. cit.,* pp. 19 ss.; Rosen, S., «A Central Ambiguity in Descartes» (1969), también en Rosen, *The Ancients and the Moderns,* New Haven-London, Yale University Press, 1989, pp. 22-36; Gilson, E., *Index scolastico-cartésien,* Paris, Vrin, 2.ª ed., 1979; Marion, J. L., *L'ontologie grise de Descartes,* 2.ª ed. Ib. 1981; Bordoli, R., *Memoria e abitudine. Descartes, Laforge e Spinoza,* Milano, Guerini, 1994.

Hobbes, Th., *Leviatano* (1651), trad. It. M. Vinciguerra, Bari, Laterza, 1911, 2 vols. (hay trad. esp. de Carlos Mellizo, Madrid, Alianza, 1996); *The Art of Rethoric,* London, Crooke, 1681; Spinoza, B., *Korte Verhandeling/Breve trattato,* Mignini editor, L'Aquila, Japadre, 1986 (hay trad. esp. de Atilano Domínguez, Madrid, Alianza, 1990); *Etica* (1677), trad. It. S. Giametta, Torino, Boringhieri, 1959 (trad. cast. de Óscar Cohan, *Ética demostrada según el orden geométrico,* México, FCE, 1958); Pascal, B. *Pensieri* (1670), trad. It. P. Serini, Torino, Einaudi, 1962 (hay trad. esp. de J. Llansó, Madrid, Alianza, 1996); Chauvin, E., *Lexicon rationale* (1692), 2.ª ed., *Lexicon Philosophicum* (1713), reedición Düsseldorf, Stern Verlag Jansen & Co., 1967. Otros títulos de interés: Mignini, F., *Ars imaginandi. Apparenza e rappresentazione in Spinoza,* Napoli, Esi, 1981; Haddad-Chamakh, F., «L'imagination chez Spinoza», en Cristofolini editor, *Studi sul Seicento e sull'immaginazione,* Pisa, Scuola Normale Superiore, 1985, pp. 75-94; Hall, R. (pp. 367-78), y Armogathe, J. R. (pp. 259-72), en Fattori-Bianchi.

Gassendi, P., *OO* (1658), reedición Stuttgart, Frommann-Holzboog, 1964, 6 vols.; Arnauld, A.-Nicole, P., *La logique ou l'art de penser* (1662), P. Clair-F. Gibral editores, Paris, Puf, 1965; Malebranche, N., *De la recherche de la vérité* (1674 ss.), G. Rodis-Lewis editor, Paris, Vrin, 1962; *Entretiens sur la métaphysique* (1688), A. Robinet editor, Ib. 1965; Darmanson, J., *La beste transformée en machine,* s.l., 1684. Otros títulos de interés: Gregory, T., *Scetticismo ed empirismo,* Bari, Laterza, 1961; Alquié, F., *Le cartésianisme de Malebranche,* Paris, Vrin, 1974; Auroux, S., *L'illuminismo francese e la tradizione logica di Port-Royal,* trad. It. del original de C. A. Sitta, Bologna, Clueb, 1992; Ferraris, 1994. ***Asociación de ideas***: Maass, J. G. E., *Versuch über die Einbil-*

dungskraft (2.ª edición 1797), reedición Bruxelles, Culture et Civilisation, 1969, pp. 87 ss.; Cohen, R., *Association of Ideas and Poetic Unity,* en «Philological Quaterly», XXXVI, 1957, pp. 465-474.

Locke, J., *An Essay concerning human Understanding* (1890) (trad. cast. de S. Rábade y E. García, *Ensayo sobre el entendimiento humano,* Madrid, Ed. Nacional, 1980); Leibniz, Die *philosophischen Schriften von G. W. Leibniz,* C. J. Gerhardt editor, Berlin, Weidmann, 1875-1890, 7 vols. (trad. cast. de E. Orejer, y Manry, *Nuevos ensayos sobre el entendimiento humano,* México, UNAM, 1976). Otros títulos de interés: Cassirer, E., *Cartesio e Leibniz* (1902), trad. It. De Toni, Roma-Bari, Laterza, 1986; Brown, A. F., *Locke's Essay and Bodmer and Breitinger,* en «Modern Language Quaterly», 10, 1949, pp. 16-32; Belaval, Y., *Leibniz critique de Descartes,* Paris, Gallimard, 1960; Costa, G., *Vico e Locke,* en «Giornale critico della filosofia italiana», XLIX, 1970, pp. 344-61; Kulstand, M., *Leibniz on Apperception, Conciousness, and Reflection,* München-Hamden-Wien, Philosophia Verlag, 1991; Yolton, J. W., *Locke and French Materialism,* Oxford, Clarendon Press, 1991 (incluye una útil bibliogrfía); Moiso, F., «Preformazione ed epigenesi nell'età goethiana», *Il problema del vivente tra Settecento e Ottocento,* V. Verra editor, Roma, Istituto dell'enciclopedia italiana, 1992, pp. 119-220.

Berkeley, G., *An Essay Towards a New Theory of Vision, W,* Luce, A. A.-Jessop, T. E., editores, London, T. Nelson & Sons, 9 vols., I, pp. 241-279 (la traducción española, en Espasa-Calpe, se encuentra agotada en el momento de realizar esta traducción); *Tratato sui principi della conoscenza umana* (1710), trad. It. M. M. Rossi, Bari, Laterza, 1955 (hay trad. esp. de Carlos Mellizo, Madrid, Alianza, 1992); Hume, D., *Trattato sulla natura umana* (1739-1740), trad. It. *Opere,* ib. 1971, vol. I, (hay trad. esp. de Félix Duque, *Tratado de la naturaleza humana,* Madrid, Tecnos, 1988). Otros títulos de interés: Attfield, R., *Berkeley and imagination,* en «Philosophy», 45, 1970, pp. 237-239; Strawson, «Imagination and Perception», *op. cit.;* Talmor, E., *Descartes and Hume,* Oxford-New York et alibi, Pergamon Press, 1980; Hall, 1988; Atherton, M., *Berkeley's Revolution in Vision,* Ithaca-London, Cornell University Press, 1990.

Gracián y Morales, B., *L'acutezza e l'arte dell'Ingegno* (1642, 2.ª edición ampliada 1648), trad. It. G. Poggi, Palermo, Aesthetica, 1986 (Edic. esp. de Emilio Blanco, Madrid, Cátedra, 1998); Cudworth, R., *The True Intellectual System of the Universe* (1678), reedición, Stuttgart-Bad Cannstatt, Frommann-Holzboog, 1964; More, H., *Enchiridion metaphysicum* (1679), *Opera,* II.1. reimp. Hildesheim, Olms, 1966; Shaftesbury, A. A., Cooper conde de, «Sensus communis» (1709), indi en *Characteristics* (1711), 3 vols. Trad. It. antología P. Casini, *Saggi morali,* Bari, Laterza, 1962, 39-94 (trad. cast. parcial de A. Andreu, *Sensus Communis,* Valencia, Pre-Textos, 1995); Addison, J., «The Pleasures of the Imagination» (1712), en Addison & Steele & Others, *The Spectator,* G. Smith editor, 1907, 4 vols., III, reedición, *Everyman's Library,* 1963, n. 166 (edic. esp. de Tonia Raquejo, *«Los placeres de la imaginación» y otros ensayos de «The Spectator»,* Madrid, Visor, 1991); Hutcheson, F., *Inquiry into the Original of our Ideas of Beauty and Virtue (*1725), trad. It. parcial V. Bucelli, *L'origine della bellezza,* Palermo, Aesthetica, 1988 (hay trad. esp. de Jorge Arregui, *Una investigación sobre el origen de nuestra idea de belleza,* Madrid, Tecnos, 1992); Gerard, A., *An Essay on Genius* (1744), reedición, München, Fink, 1966; Burke, E., *Sul gusto* (1795), introducción a la 2.ª ed. de *Inchiesta sul bello e sul sublime* (1757), G. Sertoli-G. Miglietta editores, Palermo, Aesthetica, 1985, pp. 49-63 (edic. esp.: *Indagación filosófica sobre el origen de nuestras ideas acerca de lo sublime y lo bello,* Murcia, Arquitectura, 1985); Kames, H. Homes, Lord, *Elements of criticism* (1762), reedición, Hildesheim, Olms, 1970; Herz, M., *Versuch über den Geschmack,* Leipzig, Hinz, 1776. Otros títulos de interés: Bäumler, 1923; Dickie, G., *Taste and Atitude: The Origin of the Aesthetic,* en «Theoria», 39, 1973, pp. 153-70; Ginsborg, H., *The Role of Taste in Kant's Theory of Cognition,* New York-London, Garland, 1990.

Crousaz, J. P. de, *Traité du beau (1714-1715),* reedición Genève, Slatkine, 1970; *Logique ou système abrégé de Reflexions, ecc,* 4.ª ed., aum., 6 vols., Lausanne-Genève, Bousquet, 1741; Du Bos, J. B. (1719), trad. it. parcial E. Fubini, Milano, Guerini, 1990; Condillac, E., Barón de, *Saggio sull'origine delle conoscenze umane* (1746), en *Opere,* trad. it. G. Viano, introducción de C. A. Viano, Torino, Utet, 1976; *Traité des animaux* (1755), Paris, Fayard, 1984; Batteux, Ch., *Les beaux arts réduits à un même principe* (1747), trad. it. parcial E. Migliorini, *Le Belle Arti ricondotte ad unico principio,* Bologna, Il Mulino, 1983; La Mettrie, J. O. de, *L'homme machine* (1748), C. Becker editor, Hamburg, Meiner, 1990; Montesquieu, *Sul gusto,* trad. it. E. Tavani, Genova, Marietti, 1990, pp. 1-5 (*Ensayo sobre el gusto,* Madrid, Espasa Calpe, 1949); Diderot, D., *Lettre sur les aveugles* (1749) y *Lettre sur les sourds et les muets* (1751), *OC,* J. Varloot editor, Paris, Hermann, IV, 1978, pp. 1-223; Lacombe, M., *Dictionnaire portatif des beaux-arts,* Paris, Estienne, 1752; *Le spectacle des beaux arts* (1761), reedición, Genève, Slatikine, 1970; Voltaire, *Dictionnaire philosophique, OC,* Paris, Garnier, XIX, pp. 270-84 y 427-438 («Goût» e «Imagination») (hay trad. esp. de Ana Martínez, Madrid, Temas de Hoy, 1995); Esteve, P., *L'esprit des beaux-arts ou historie raisonnée du Goût* (1753), reedición, Genève, Slatkine, 1970; Helvétius, C. A., *De l'Esprit* (1757), *OC* (1795), reedición Hildesheim, Olms, 1969 (en el momento de realizar esta treaducción, la traducción española, de José M. Bermudo en Editora Nacional, se encuentra agotada); Tour, S. de la, *L'art de sentir et de juger en matière de goût* (1762), reedición Genève, Slatkine, 1970.

Bacon, F., «The Advancement of Learning», en *The Works of Francis Bacon,* Sedding, Ellis, Heath editores (1860), vol. IV, Stuttgart-Bad Cannstatt, Frommann-Holzboog, 1962; Poinsot, J., *Tractatus de signis* (1632), J. N. Deely, Berkeley, University of California Press, 1985; Comenius, J. A., *Orbis sensualium pictus/Die sichtare Welt* (1658), reedición Dortmund, 1979; Dalgarno, G., *Ars signorum,* London, 1661; Dumarsais, C., *Des tropes* (1730), reedición con comentarios P. Fontanier (1825), Genève, Slatkine, 1970, 2 vols.; Warburton, W., *The Divine Legation Of Moses Demonstrated* (1741-1765), reedición New York-London, Garland, 1978; Brucker, J., *Historia critica philosophiaae, a mundi incunabilis ad nostram usque aetatem deducta,* Leipzig, B. C. Breirkopf, 1742-1744, 5 vols.; Pernety, A. G., *Le favole egizie e greche* (1758), trad. it. reducida G. Cantinella (1936), Genova, Dioscuri, 1987; Rousseau, J.-J., *OC,* Gagnebin-Raymond, Paris, Gallimard, 1959-1995 (J.-J. Rousseau, *Escritos de combate,* Madrid, Alfaguara, 1979); Champollion, J. F., *Précis du système des hiéroglyphes,* Paris, 1824; *Grammaire Egyptienne* (1836), reedición Paris, Institut d'Orient, 1984; otros títulos de interés: Pasquali, G., *Terze pagine stravaganti,* Firenze, Sansoni, 1942; Février, J., *Histoire de l'écriture,* Paris, Payot, 1948-1959; Gelb, I. J., *A Study of Writing: The Foundations of Grammatology,* Chicago, University of Chicago Press, 1952 (hay trad. esp. de Alberto Adell, Madrid, Alianza, 1994); Diringer, D., *L'alfabeto nella storia della civiltà,* 2.ª ed., Firenze, Giunti-Barbera, 1953; Rossi, *Clavis universalis, op. cit.,* 1960; Rossi, «La religione dei geroglifici e l'origine della scrittura», en Rossi, *Le sterminate antichità: studi vichiani,*Pisa, Nistri-Lischi, 1969; Kallir, A., *Segno e disegno. Psicogenesi dell'alfabeto* (1691), trad. it. Urbani Ferrario, Milano, Spirali, 1994; Starobinski, J., *La transparence et l'obstacle,* 2.ª edición Paris, Gallimard, 1971 (hay trad. esp. de Santiago Gónzalez Noriega, Madrid, Taurus, 1983); Derrida, J., «Scribble», prefacio a Warburton, *Essay sur les hiéroglyphes* (1774), trad. fr., Paris, Aubier-Flammarion, 1978; Ungeheuer, G., «De Wolfii Significatu Hieroglyphico», *Logos Semantikos,* I, J. Trabant ed., Berlin-New York-Madrid, 1981, pp. 57-67; Ong, W. J., *Oralità e scrittura* (1982), trad. it. Bologna, Il Mulino, 1986; Sini, C., *Etica della scrittura,* Milano, Il Saggiatore, 1992; Eco, U., *La ricerca della linga perfetta nella cultura europea,* Roma-Bari, Laterza, 1993 (hay trad. esp. de María Pons, Barcelona, Grijalbo, 1994).

Muratori, L. A., *Della forza della fantasia umana,* 7.ª ed., Venezia, 1783; antología en Muratori, *Opere,* Falco-Forti editores, Milano-Napoli, Ricciardi, 1953; Vico, G. B., *Opere,* F. Nicolini editor, Milano-Napoli, Ricciardi, 1953; Conti, A., *Trattato de' fantasmi poetici,* resumen en *Opere varie di Antonio Conti, Biblioteca Enciclopedica Italiana,* XXXV, Milano, Bettoni, 1834, pp. 352-363; Algarotti, F., *Saggio sopra la pitura* (1756*), La letteratura italiana. Storia e testi,* XLVI, t. II, E. Bonora editor, Milano-Napoli, Ricciardi, 1969, pp. 333-432; Cesarotti, M., *Ragionamento sopra l'origine e i progressi dell'arte poetica* (1762), ib., XLIV, t. IV, E. Bigi editor, 1960; Spalletti, G., *Saggio sopra la bellezza* (1765), antología, *ibid.,* pp. 1093-1112; Bettinelli, S., *Dell'entusiasmo delle belle arti* (1769), ib., XLVI, t. II, pp. 791-857; Leopardi, G., *Zibaldone di pensieri,* G. Pacella editor, Milano, Garzanti, 1991, 3 vols. (hay trad. esp. parcial de César Palma, Valencia, Pre Textos, 1998); Spaventa, B., «Della nazionalità in filosofia» (1861), en *Opere*, G. Gentile editor, Firenze, Sansoni, 1972, 3 vols. (S. Giannantoni-I, Cubeddu editores), vol II. Lett: Lachterman, D. R., *Vico, Doria e la geometria sintetica,* en «Bollettino del Centro di Studi Vichiani», X (1980), pp. 10-35; Mooney, M., *Vico in the Tradition of Rethoric*, Princeton, Princeton University Press, 1985; Costa, G., en Fattori-Bianchi; Hösle, V., introducción a la trad. al. de *Scienzia Nuova,* Hamburg, Meiner, 1990, pp. XXXII-CCXCIII (incluye una útil bibliografía).

Wolff, J. Ch., *Deutsche Metaphysik* (1720*),* reedición 1738, *GW,* II, V, 1968; Bodmer, J. J.-Breitinger, J. J., *Die Discourse der Mahlern* (1721-1723), reedición Heidesheim, Olms, 1969; Bodmer J. J., *Von dem Einfluss und Gebrauche der Einbildungs-Kraft,* Frankfurt-Leipzig, 1727; Thüming, L. Ph., *Institutiones Philosophiae Wolffianae* (1725-1726*),* reedición Hildesheim, Olms, 1982; Gottsched, J. Ch., *Poetica critica* (1730), edición 1742 *AW,* VI, J. Birke-B. Birke editores, Berlin-New York, De Gruyter, 1973; *Handlexicon* (1760), reimp. Hildesheim, Olms, 1970; Baumgarten, A. G., *Meditazioni filosofiche su alcuni aspetti del poema* (1735*),* F. Piselli editor, Milano, Vita e Pensiero, 1992 (hay trad. esp. de José A. Míguez, Madrid, Aguilar, 1960); Deschamps, J., *Cours abrégé de la philosophie wolffienne en forme des lettres* (1743-1743, 3 vols.*)* reedición Hildesheim, Olms, 1991; Formey, I. H. S., *La belle Wolffienne* (1741-1753), reedición Ib. 1983; Meier, G. F., *Anfangsgründe aller schönen Wissenchaften* (1748-1750*),* reedición, 1754, ib., 1976, 3 vols.; trad. it. parcial M. Cometa en AA.VV., *Pensare l'arte,* Palermo, Aesthetica, 1990, pp. 55-71; *Versuch einer allgemeinen Auslegungskunst* (1757*),* reedición Düsseldorf, Stern Verlag, Jansen & Co., 1965; trad. it. T. Griffero en AA.VV.; *Il pensiero ermeneutico,* Genova, Marietti, 1986, pp. 65-73; Herder, J. G., *Kritische Wälder,* 1769, SW, Suphan editor, IV (J. G. Herder, *Obra selecta,* Madrid, Alfaguara, 1982); Sulzer, J. G., *Theorie der schönen Künste* (1771-1774), reedición de la 2.ª ed., aumentada 1792-1799, Hildesheim Olms, 1970; Teetens, J. N., *Philosophische Versuche* (1777, 2 vols.), reedición Ib., 1979. Otros títulos de interés: Bergman, E., *Die Begründung der deutschen Ästhetik,* Leipzig, Röder & Schunke, 1911; Campo, M., *Crisitiano Wolff e il razionalismo precritico,* Milano, Vita e pensiero, 1939, 2 vols.; Markwardt, B., *Gechichte der deutschen Poetik,* Berlin, de Druyter, 1958, 4 vols.; Linn, M. G., *A.G. Baumgartens «Aesthetica» und die antike Rhetorik,* en «deutsche Viertljahresschrift», 41 (1967), pp. 424-443; Merker, N., *Ch. Wolff e la metodologia del razionalismo,* en «Rivista critica della filosofia italiana», 22, 1967, pp. 271-293; 23, 1968, pp. 21-38; Arndt, H. W., *Methodo scientifica pertractarum,* Berlin-New York, de Gruyter, 1971; Casula, M., *La metafisica di A.G. Baumgarten,* Milano, Mursia, 1973; Vitadello, A. M., *Expérience et raison dans lapsychologie de Christian Wolff,* en «Revue philosophique de Louvain», 71, 1973, pp. 488-510; Piselli, F., *Alle origini dell'estetica moderna. Il pensiero di Baumgarten,* Milano, Vita e pensiero, 1991; Kobau, P., *La fondazione dell'estetica filosofica,* in «Pratica filosofica», 6, 1994, pp. 16-173.

Contexto: Lambert, J. H., *Novo organo* (1764), trad. it. R. Ciarfardone, Roma-Bari, Laterza, 1977; Herder, J. G., *Saggio sull'origine del linguaggio* (1772), trad. it. Salerno, 1954 (en *Obra selecta* cit.); *Idee per la storia della filosofia dell'umanità* (1784-1791), ed. it. antológica V. Verra editor, Roma-Bari, Laterza, 2.ª ed., 1992; Reinhold, K. L., *Versuch einer neuen Theorie des menslichen Vorstellungsvermögens* (1789), reedición Darmstadt, Wissenschatliche Bucheselleschaft, 1963. Otros títulos de interés: Hegel, G. W. F., *Fede e Sapere* (1802), trad. it. R. Bodei en Hegel, *Primi scritti critici,* Milano, Mursia, 1972, pp. 121-253; Heidegger, M., *Kant e il problema della metafisica* (1929), trad. it. M. E. Reina, revisada V. Verrra, Roma-Bari, Laterza, 1981 (hay trad. esp. de Gred Tbscher, *Kant y el problema de la metafísica,* Madrid, FCE, 1993); Wittgenstein, L., *Ricerche filosofiche* (1953), M. Trinchero editor, Torino, Einaudi, 1967 (hay trad. esp. de Alfonso García Suárez y Ulises Moulines, *Investigaciones filosóficas,* Barcelona, Grijalbo, 1988); Henrich, D., *über die Einheit der Subjektivität,* en «Philosophische Rundschau», 3, 1955, pp. 28-69; Tonelli, G., «La disputa sul metodo matematico nella filosofis della prima metà del Settecento e la genesi dello scritto kantiano sull'evidenza» (1959), en Tonelli, *Da Leibniz a Kant. Saggi sul pensiero del Settecento,* C. Cesa editor, Napoli, Prismi, 1987; Strawson, P. F., *The Bounds of Sense. An Essay on Kant's Critique of Pure Reason,* London Methuen, 1966 (hay trad. esp. de Carlos Thiebaut, Madrid, Revista de Occidente, 1975); Buck, G. *Kants*

Lehre von Exempel, en «Archiv für Begriffsgeschichte», XI, 1967,pp. 148-183; Luria, A. R., *The Mind of a Mnemonist,* New York, Basic Books, 1968, trad. it. *Viaggio nella mente di un uomo che non dimenticava nulla,* Roma, 1979; Derrida, J., *La vérité en peinture,* Paris, Flammarion, 1978; Pippin, R. B., *Kant's Theory of Form,* New Haven, Yale University Press, 1982; Winterbourne, A. T., *The ideal and the Real,* Dordretcht-Boston-London, Kluwer Academic Publishers, 1988; Ferrarin, A., *Construction and Mathematical Schematism. Kant on the Exhibition of a Concept in Intuition,* «Kant-Studien», a. 86, 1995, pp. 131-174.

Fichte, J. G., *SW,* I. H. Fichte editor (1845 ss.), reedición Berlin, de Gruyter, 1971, 10 vols.; *Fondamenti della scienza* (1794-1795), trad. it. A. Tilgher, revisada por F. Costa, Bari, Laterza, 1971; Hölderlin, F., «Giudizio ed essere» (1795), en *Scritti di estetica,* R. Ruschi editor, Milano, SE, 1987, pp. 53-54 (edic. esp., *Ensayos,* Madrid, Hiperión, 1976); F. W. J. Schelling, SW, K. F. A. Schelling editor, Stuttgart-Augsburg, Cotta, 1856-1861; *Sistema dell'idealismo trascendentale* (1800), trad. it. M. Losacco, revisada por G. Semerari, Bari, Laterza, 1965; *Lezioni sul metodo dello studio accademico* (1803), trad. it. C. Tatasciore, Napoli, Guida, 1989; «Il più antico programmma sistematico dell'idealismo tedesco», ¿1797?, de atribución incierta (Hegel o Hörderlin), en Hörderlin, *Scritti di estetica, op. cit.,* pp. 165-166; Hegel, *Scienza della logica* (1812-1816), trad. it. A. Moni, revisada por C. Cesa, introducción de L. Lugarini, Roma-Bari, Laterza, 1981, 2 vols. (trad. cast. de A. y R. Mondolfo, *Ciencia de la lógica,* Buenos Aires, Hachette, 1958); *Enciclopedia delle scienze filosofiche in compendio* (1830), trad. it. B. Croce, Roma-Bari, Laterza, 1923 (hay trad. esp. de Ramón Valls, Madrid, Alianza, 1997); *Estetica (póstumo,* 1835), trad. it. N. Merker y N. Vaccaro, 2.ª edición, Torino, Einaudi, 1972, 2 vols. (trad. cast. de A. Brotóns Muñoz, *Lecciones sobre la Estética,* Madrid, Akal, 1989); Coleridge, S. T.; *Biographia Literaria,* Everyman's Library; Wordsworth, W., «Preface to the Edition of 1815», *The prose W of W.W.,* J. B. Owen y J. Worthington Smyser editores, Oxford, Clarendon Press, 1974, 3 vols., III, pp. 26 ss.; Poe, E. A., *The Complete W.,* J. A. Harrison editor, New York, 1902. Otros títulos de interés: Richards, I. A., *Coleridge on Imagination,* London, 1934; Wellek, R., *Storia della critica moderna. L'età romantica* (1955), Bologna, Il Mulino, 1961 (hay trad. esp. de Fernando Collar, Madrid, Gredos, 1988); J. Drechsler, *Fichtes Lehre vom Bild,* Stuttgart, Kohlhammer, 1955; Derrida, J., «Le puits et la Pyramide» (1970), en *Marges de la philosophie,* Paris, Minuit, 1972 (hay trad. esp. de Carmen González, Madrid, Cátedra, 1989); Homann, K., *Zum Begriff Einbildungskraft nach Kant,* en «Archiv für Begriffgeschichte», 14, 1970, pp. 266-302; Verra, V., «Storia e memoria in Hegel» (1970), en *Letture hegeliane,* Bologna, Il Mulino, 1992, pp. 13-40; Clark, M., *Logic and System,* The Hague, Nijhoff, 1971; Graubner, H., *Form und Wesen,* «Kant-Studien», *Ergänzungsheft,* 104, Bonn, Bouvier, 1972; Ende, H., *Der Konstruktionsbegriff im Umkreis des deutschen Idealismus,* Meisenheim/Glan, Hain, 1973; Küster, B., *Traszendentale Einbildungskraft und ästhetische Phantasie,* Königstein/Ts, Forum Academicum, 1979; Verra, V., «Costrizione, scienza e filosofia», *Romanticismo, esistencialismo, ontologia della libertà,* Milano, Mursia, 1979, pp. 120-36; Verra, V., «Immaginazione trascendentale e inteletto intuitivo», *Hegel critico di Kant;* Napoli, Prismi, 1981, pp. 67-89; Gaiarsa, A., «Note sul concetto di costruzione», en Hegel, *Logica e metafisica a Jena,* F. Chiereghin *et alt.* Editores, Trento, 1981, pp. 429-43; Düsing, K., *Aestetische Einbildungskraft und intuitiver Verstand,* «Hegel Studien», 21, 1986; Procesi, L., en Fattori-Bianchi; Fulda, H. F.-Horstmann, R. P., editores, *Hegel und die kritik der Urteilskraft,* Stuttgart, Klett-Cotta, 1990; Kobau, P., *La disciplina dell'anima,* Milano, Guerini, 1993; Griffero, T., *Senso e immagine,* ib. 1994.

Jacobi, F. H., *La dottrina di Spinoza. Lettere al signor Moses Mendelssohn* (1785), trad. it. F. Capra, revisada por V. Verra, Roma-Bari, Laterza, 1969 (hay trad. esp. de José L. Villacañas, Barcelona, Círculo de Lectores, 1996); Maimon, S., *Versuch einer neuen Logik* (1749), B. Engel editor, Berlin, Renther & Reichard, 1912; Schiller, J. C. F., *Lettere sull'educazione estetica dell'uomo* (1795), trad. it. A. Sbisà, Firenze, La Nuova Italia, 1970 (hay trad. esp. de Jaime Feijóo y Jorge Seca, Rubí, Anthropos, 1990); Schlegel, F., *Sullo studio della poesia greca* (1795-1797), trad. it. A. Lavagetto, Napoli, Guida, 1988 (hay trad. esp. de Berte Raposo, Tres Cantos, Akal, 1996); Novalis, *Scritti filosofici,* F. Desideri-G. P. Moretti editores, Torino, Einaudi, 1993, 2 vols.; Schopenhauer, A., *Il mondo come volontà e rappresentazione* (1818), trad. it. N. Palanga, Milano, Mursia, 1969 (hay traducción española en Barcelona, Planeta, 1996); Dilthey, W., *Die Einbildungskraft des Dichters,* 1887, *GS,* VI, Leipzig-Berlin, teubner, 1924; Nietzsche, F., *Il crepuscolo degli idolo* (1889), en *Opere,* G. Colli y M. Montinari editores, Milano, Adelphi, 1964 ss. (hay trad. esp. de Andrés Sánchez Pascual, Madrid, Alianza, 1997); Baudelaire, Ch., *Le salon de 1859, Fusëes, Mon coeur mis à un,* OC, Cl. Pichois editor, Paris, Gallimard, 1975, 2 vols. (edic. esp.: *Salones y otros escritos sobre arte,* Madrid, Visor, 1996); l'Isle-Adam, V. De, *L'Eve future,* N. Satiat editor, Paris, Flammarion, 1992; Couturat, L., *La philosophie des mathématiques de Kant,* in «Revue de Métaphysique et de Morale», XII, 1904, pp. 321-383. ***Alma e imagen***: Lukács, G., *L'anime et le forme* (1910), trad. it. S. Bologna, Milano, SE, 1991; Klages, L., *Pensiero simbolico e concettuale* (de *Der Geist als Widersacher der Seele,* 1929-1932), trad. it. G. P. Moretti, en «Rivista di Estetica», 42, 1992, pp. 3-16; Lacan, J., «Le stade du miroir comme formateur de la fonction du Je» (1949), en Lacan, *Ecrits,* Paris, Seuil, 1996, pp. 93-100. ***Imaginación como edad de oro***: Bachelard, G., *La poétique de la rêverie,* Paris, PUF, 2.ª ed. 1961; Marcuse, H., *Eros e civiltà* (1955), trad. it. L. Bassi, Torino, Einaudi, 1964 (hay trad. esp. de Juan García Ponce, Barcelona, Ariel, 1995); Grassi, E., *Potenza della fantasia* (1984), trad. it. C. Gentili y M. Marassi, Napoli, Guida, 1990.

Peirce, C. S., «Some Consequences of Four Incapacities» (1868), en *Philosophical Writings,* P. Boehrner editor, New York, Nelson, 1957 (hay trad. esp. de José Bericas, en *El hombre, un signo,* Barcelona, Grijalbo, 1988); Bergson, H., *Essai sur les données inmédiates de la conscience,* 1888, Paris, PUF, 5.ª ed., 1993; *Matière et mémoire,* 1896, 93 ed., ib., 1982; Meinong, A., «Phantasie-Vorstellung und Phantasie» (1889), *Gesammelte Abhandlungen,* I, Leipzig, J. A. Barth, 1929, pp. 193-277; Freud, S., *Opere,* C. Musatti, Torino, Boringhieri, 1967 ss. (hay trad. esp. de Luis López Ballesteros, Madrid, Biblioteca Nueva); Husserl, E., *Ricerche logiche* (1900-1901), trad. it. G. Piana, Milano, Il Saggiatore, 1968 (hay trad. esp. de Manuel García Morente y José Gas, *Investigaciones lógicas,* Madrid, Alianza, 1985); «Phantasie-Neutralität»

(1921-1924), *Phantasie, Bildbewusstsein, Erinnerng,* 1898-1925, E. Marbach editor, *Husserliana* XXIII, Den Haag, Nijhoff, 1980; Heidegger, M., *Prolegomeni alla storia del concetto di tempo* (1925), trad. it. R. Cristin y A. Marini, Genova, Il Melangolo, 1991; *Essere e tempo* (1927), trad. it. P. Chiodi, Torino, Utet, 1969 (hay trad. esp. de José Gaos, Madrid, FCE, 1993); *L'origine dell'opera d'arte* (1935-36), trad. it. P. Chiodi en *Sentieri interrotti,* Firenze, La Nuova Italia, 1968, pp. 3-69 (trad. cast. de Sammuel Ramos, *El origen de la obra de arte,* en *Arte y poesía,* México, FCE, 1958, 1995); Sartre, J.-P., *L'imagination* (1936), Paris, PUF, 7.ª ed., 1969 (hay trad. esp. de Carmen Dragonetti, Barcelona, Edhasa, 1980); *L'imaginaire,* Paris, Gallimard, 1940; Ryle, G., *The Concept of Mind,* London, Hutchinson's, 1949; Merleau-Ponty, M., *Le visible et l'invisible,* C. Lefort editor, Paris, Gallimard, 1964 (trad. cast. de José Esendé, *Lo visible y lo invisible,* Barcelona, Seix Barral, 1966); Derrida, J., *La voix et le phénomène,* Paris, PUF, 1967 (hay trad. esp. de Patricio Peñalver, Pre Textos, Valencia, 1993); Deleuze, G., *Differenza e ripetizione* (1968), trad. it. G. Gugliemi, Bologna, Il Mulino, 1971 (hay trad. esp. de Francisco Monge, Barcelona, Anagrama, 1995).

Índice de nombres